François Archambault

CODE 99

Dramaturges Éditeurs

AUSSI CHEZ DRAMATURGES ÉDITEURS

38 (cinq tomes : *A, E, I, U, O*), Collectif

Jusqu'au Colorado, de Jérôme Labbé

Chrysanthème, de Eugene Lion

Une tache sur la lune, de Marie-Line Laplante

Les Zurbains, Collectif

Dits et inédits, de Yvan Bienvenue

Maître Chat, de Marie-Renée Charest

Game, de Yves Bélanger

La Raccourcie, de Jean-Rock Gaudreault

Le Mutant, de Raymond Villeneuve

Les Huit péchés capitaux, Collectif

Motel Hélène, de Serge Boucher

La Terre tourne rondement, de Marie-Line Laplante

Le défilé des canards dorés, de Hélène Mercier

Le bain des raines, de Olivier Choinière

Nocturne, de Pan Bouyoucas

Barbe-Bleue, de Isabelle Cauchy

Nuit de chasse, de Micheline Parent

La nuit où il s'est mis à chanter, de Claude Champagne

Couteau, de Isabelle Hubert (coédité avec les Éditions Lansman)

Le soir de la dernière, de Isabelle Doré

L'Humoriste, de Claude Champagne

Laguna Beach, de Raymond Villeneuve

Le lit de mort, de Yvan Bienvenue

24 poses, de Serge Boucher

Antarktikos, de David Young

Untempsdechien / Piégés de Alex Johnston / Pól Mag Uidhir

PERSONNAGES

Ange, La fille à la Bible
Boss, la superviseure qui prend son rôle à cœur
Ouch, la révoltée tranquille
Hapy, il veut rendre les gens heureux
Love, l'ecstasy en chair et en os
Lune, la fascinée par l'Invisible
Ovni, le perdu-perdant cynique-sympathique
Shit, «la société va mal!!!»
Star, la matérialiste qui cherche une forme d'«exotisme»?
Quoi, celui dont on ne sait pas grand chose
Drak, le ténébreux gothique
Olyp, celle qui se teste elle-même
La répondante
La dame esseulée

N.B. : L'auteur tient à spécifier qu'il est interdit de présenter sur scène la pièce *Code 99* avec une autre partition musicale que celle qui a été composée pour la création de l'oeuvre.

J'imagine tous les comédiens continuellement sur scène.
Ils sont à vue.
Une aire de jeu, centrale, où se passent les différentes actions.
Le rythme est très important; on passe d'un moment à l'autre sans faire de pause ou de transition.
C'est une pièce sur le sondable et l'insondable.
Les mots font de la musique ou bien du bruit.

F.A.

L'histoire n'est pas dans les mots, elle est dans la lutte.

- Paul Auster
La Chambre dérobée

Code 99 a été porté à la scène par les finissants du Conservatoire d'art dramatique de Montréal le 23 avril 1999 et repris à la Salle Fred-Barry par la même équipe le 12 janvier 2000.

Musique et arrangements de Yves Morin
Mise en scène de Normand Chouinard
Assisté de Michel Bérubé

Distribution
Ange : Catherine-Anne Toupin
Boss : Marie-Ève Pelletier
Ouch : Violaine Paradis
Hapy : Michel Girard
Love : Isabelle Lemme
Lune : Catherine Vidal
Ovni : Jean-François Poirier
Shit : Guillaume Champoux
Star : Brigitte Lafleur
Quoi : François Létourneau
Drak : Jean-Sébastien Lavoie
Olyp : Catherine Trudeau
La eépondante : Violaine Paradis
La dame esseulée : Catherine Trudeau

Décors : François Pilotte
Costumes : Yvan Gaudin
Éclairages : Réjean Paquin
Accessoires : Louise Lapointe
Chorégraphies : Suzanne Lantagne
Combat : Huy Phong Doan
Mouvement : Françoise Cadieux

Piano et direction musicale : Yves Morin
Violon : Alexandre Duguay
Violon : Charles-Étienne Marchand (première production) et Émilie Caron (reprise)
Alto : Marie-Claude Perron
Violoncelle : Kim Lajeunesse et Jacob Auclair-Fortier (en alternance)
Percussions : Jérémie Côté (première production) et Frédérique Asselin (reprise)

PREMIER MOUVEMENT

1

Noir. Les sondeurs prennent place sur scène. Nous entendrons, en bruit de fond, le chœur des sondeurs qui récite de manière chaotique et à voix basse le sondage suivant :

CHŒUR DES SONDEURS
Bonjour, Madame, bonjour, Monsieur.
Je vous appelle présentement au nom de l'Institut National de l'Opinion Publique.
Nous faisons présentement
Une importante étude sur les habitudes de consommation des québécois.
Votre opinion est très importante
Et elle favorisera une amélioration du service à la clientèle.
Soyez assuré qu'en aucun temps nous ne tenterons de vous vendre quoi que ce soit.
Alors je vous remercie de bien vouloir collaborer à notre étude.
Est-ce que vous êtes la personne responsable
Des achats d'épicerie pour votre foyer?

Lumière sur Lune. Lune chante.

Premier ciel

LE CIEL PLEUT
COMME IL PEUT.
EN COULISSES
DE GOUTTES UN PEU TRISTES,
LE CIEL PLEUT.

LE CIEL FAIT
DE JOLIS TRAITS.
SUR LA VITRE,
COMBIEN DE MILLILITRES,
LE CIEL FAIT?

Hapy, Lune, Ovni, Shit, Ouch et Drak s'avancent.

HAPY
Hey, c'est assez flyé : j'ai fait un rêve niaiseux pas mal, cette nuit.

LUNE
C'est quoi ton rêve?

HAPY
Un rêve niaiseux. C'était l'hiver pis y avait de la neige dehors.

OVNI, *à Drak*
Wow! De la neige en hiver! Méchant rêve fucké!

LUNE
C'était quoi ton rêve?

HAPY
J'étais sorti de chez moi pour aller m'acheter une pinte de lait. En sortant, j'ai laissé la porte ouverte derrière moi, pis mon chat en a

10

profité pour sortir. Vous allez me dire qu'y a rien là, un chat qui sort dehors, sauf que le mien y est dégriffé, pis y a jamais mis une patte dehors de toute sa vie!

OUCH
Ton chat est dégriffé!

HAPY
Je suis contre ça, les griffes. Avoir des griffes, ça donne envie de griffer, c'est sûr.

OUCH
Un chat qui va pas dehors, ça doit être triste. Un animal, c'est fait pour aller dehors, me semble!

HAPY
Charlie est pas triste. Je lui fais souvent des grimaces pour le faire rire... Y a des plantes qu'y peut manger. Y se couche sur le journal. Y aime ça se coucher sur le papier journal. Ben, n'importe quelle sorte de papier, y aime ça. Ouin. Un rêve niaiseux, pas mal. Je vois Charlie se sauver, par la porte, pis je me mets à courir après. C'est bizarre, mais mes pieds se transforment en raquettes; ça fait que je cale pas dans la neige! C'est pratique pour ça, les rêves : quand t'as un problème, y a tout de suite une solution qui apparaît!

LUNE
Pis après? Qu'est-ce qui s'est passé, après?

HAPY
Rien. Sûrement quelque chose, mais je m'en souviens pus.

LUNE
Essaye de te souvenir.

HAPY

Je me suis probablement réveillé.

LUNE

Mais le rêve a continué à t'obséder pendant toute la journée.

HAPY

Ouin.

LUNE

Pourquoi?

HAPY

Ben. Ce que je trouvais drôle, c'est les pieds qui se transforment en raquettes! C'est flyé pas mal, comment ça peut devenir flyé un cerveau quand on est endormi.

LUNE

Y a pas un autre rêve que tu fais plus souvent?

HAPY

Je vois pas, non.

LUNE

T'es certain?

OVNI

Un rêve cochon?

HAPY

Franchement! Vous savez ben que je pense pas à des affaires de même, moi!

12

DRAK

Un rêve où tu pousses une petite vieille en chaise roulante en bas d'un escalier?

HAPY

Je suis contre ça, moi, la violence. Je suis contre ça même quand je suis réveillé. Je vois pas pourquoi je serais pour ça quand je suis endormi.

LUNE, *gentille et presque trop rassurante*

Faut pas que tu t'inquiètes. Quand tu dors, y a quelque chose d'autre qui prend le contrôle.

HAPY

Ah. OK. De toute façon, c'était rien qu'un rêve niaiseux, pas mal.

DRAK

Tant qu'y a du rêve, y a de l'espoir.

SHIT

On a quand même réussi à passer à travers quoi? Deux minutes. Deux minutes d'angoisse derrière nous. Merci infiniment.

2

Boss accompagnée de Quoi et Ange.

BOSS

Quand quelqu'un répond, demandez-lui pas si y peut faire le sondage. Allez pas lui demander : «Je peux-tu vous déranger, cinq minutes?»

CHŒUR DES SONDEURS

Je vous dérangerai pas.

BOSS

Ça serait niaiseux de demander ça, parce que si le monsieur ou la madame écoute bien les mots de votre question, y va entendre le mot «DÉRANGER».

CHŒUR DES SONDEURS

Je vous dérangerai pas.

BOSS

«Je peux-tu vous DÉRANGER?» Connaissez-vous quelqu'un qu'y a le goût d'être DÉRANGÉ dans la vie?

CHŒUR DES SONDEURS

Je vous dérangerai pas.

BOSS

Moi, si vous me dites que vous allez me DÉRANGER, ça me DÉRANGERA pas de raccrocher! C'est compris?

QUOI

C'est compris.

BOSS

Maintenant vous allez choisir un mot de quatre lettres qui va devenir votre nom de code pour avoir accès à l'ordinateur. Pour vous donner un exemple, moi c'est BOSS. B-O-S-S, BOSS parce que ça me représente bien, vu que je suis votre boss. *(Elle rit.)* Je t'écoute, mon grand.

QUOI

Euh...

BOSS

Je t'écoute.

QUOI

Pffff...

BOSS

Ça va être quoi?

QUOI

QUOI.

BOSS

QUOI?

QUOI

QUOI!

BOSS

Ah! Ça va être QUOI, c'est ça?

QUOI

Ça va être QUOI, c'est ça.

BOSS

Bon. OK. Pis toi ça va être quoi, ma grande?

ANGE

Non, ça sera pas QUOI.

BOSS

Je sais ben. Je veux dire : qu'est-ce que ça va être, ton nom de code?

ANGE

ANGE.

Léger temps. Ange se met à chanter.

Un ange passe

UN ANGE PASSE.
UN ANGE PASSE.
PASSE EN SONGEANT
À TOUS CES GENS
QUI PASSENT.

3

Le chœur des sondeurs est face au public, en demi-cercle. Au centre, nous retrouvons une comédienne masquée qui incarne La Répondante.

CHŒUR DES SONDEURS
Ô toi, Grande Dame dans ton foyer,
Toi la reine, accrochée à ton carrosse d'épicerie,
J'aimerais savoir ce qui se cache
Derrière chacune de tes pensées.
Quand tes talons claquent dans l'allée.
Quand le néon chauffe ton nez.
Quand tu pousses ton carrosse.
Quand tes mains tâtent le fruit.
Quand ta narine renifle le légume.
À quoi penses-tu penser?

Ô toi, Grande Dame dans ton foyer,
Dis-moi, dis, ce que tu penses penser
Du céleri, du concombre, de la banane, de la pomme,
Des carottes, avocats, kiwis, raisins, champignons,
Selon ton estimation et ton jugement, sur dix?

LA RÉPONDANTE
Les légumes, ça va bien : mettez neuf. Mais les fruits, ça va pas du tout, c'est pourri : mettez deux.

CHŒUR DES SONDEURS
Ô toi, suprême consommatrice avertie,
Sache que pour la compagnie qui m'engage dans ce débat,
Les fruits et les légumes font partie de la même catégorie.

LA RÉPONDANTE
Ben là! Je peux pas donner une seule note! Comment y va faire, le magasin, pour savoir si c'est les fruits ou ben donc les légumes qui vont pas bien?

CHŒUR DES SONDEURS
Si les fruits sont aussi pourris que tu le dis,
Charmante dame à l'œil vif et au nez perçant,
Tu ne penses pas que le grand magasin va s'en rendre compte
Que si tu donnes une mauvaise note aux fruits et légumes,
C'est simplement et uniquement à cause des fruits
Et non pas des légumes!

LA RÉPONDANTE
Vous avez raison! Pourquoi y ont besoin de faire un sondage pour découvrir que les fruits sont pas frais? Les fruits sont dans leur magasin. Y ont rien qu'à aller les voir, les sentir, les goûter, si y veulent savoir.

CHŒUR DES SONDEURS
Tu ne comprends pas,
Dame qui aime poser des questions
Quand on lui demande des réponses.
Le grand magasin ne veut pas savoir
Comment sont les fruits dans l'étalage de ses rayons,
Mais plutôt comment ils sont dans ta tête!

LA RÉPONDANTE
Pourquoi faire? Si on s'en rend pas compte, personne, que leurs fruits sont pas frais, y vont continuer de nous les vendre comme ça, leurs

fruits pourris, c'est ça? C'est à ça qu'y sert votre sondage? À voir si le magasin peut continuer à nous vendre des fruits pourris sans qu'on s'en rende compte?

CHŒUR DES SONDEURS

J'ai besoin d'une réponse,
Dame qui en allant toujours au bout de tes pensées
Risque de nous faire couler au fond des choses.
J'ai besoin d'une réponse,
Comme le marcheur dans le désert a besoin d'eau.
Il faut avancer et achever ce sondage
Sinon, je l'avoue candidement, je risque le congédiement!
Ne pourrais-tu pas me donner une note moyenne?

LA RÉPONDANTE

Je vous ai donné mes notes. Calculez-la vous-même votre moyenne!

CHŒUR DES SONDEURS

Tu as dit neuf plus deux,
Ce qui donne onze.
Onze divisé par deux,
Ce qui donne cinq virgule cinq.

LA RÉPONDANTE

Ben mettez-le votre maudit cinq virgule cinq pis qu'on en parle pus!

CHŒUR DES SONDEURS

Malheureusement, il m'est interdit de mettre des décimales
Dans les réponses sur dix.
Il faut que le chiffre qui sort de ta bouche
Soit un chiffre rond comme un œuf.

LA RÉPONDANTE

C'est pas rond, un œuf!

CHŒUR DES SONDEURS

Je te demande pardon?

LA RÉPONDANTE

Un œuf, c'est ovale!

CHŒUR DES SONDEURS

J'utilisais ici une figure de style
Afin de t'illustrer la perfection du chiffre qui t'est demandé!
Dirais-tu,
Que le cinq virgule cinq que tu m'as donné
Est davantage susceptible de se transformer en cinq ou en six?

LA RÉPONDANTE

Mettez donc ce que vous voulez!

4

Dans un bar. Musique d'ambiance. Ouch, Love,
Ovni, Drak, Star, Shit et Quoi se réunissent à
l'écart. Ils allument un joint.

OUCH

Je demande à parler à la dame du foyer, le gars me dit : «'est morte.»
Là, je savais pas trop quoi dire. Je lui ai demandé si y en avait une
nouvelle. Y a raccroché!

QUOI

Y a raccroché!

OUCH

Oui, y a raccroché!

QUOI

Y a raccroché.

LOVE

Moi y en a un qui voulait qu'on aille jaser ensemble après la job.

QUOI

Jaser ensemble après la job!

LOVE

Oui.

OUCH

Maudit que les gars sont tarlas, des fois!

QUOI

Les gars sont tarlas des fois.

STAR

Moi, je me suis fait envoyer chier trois fois, aujourd'hui!

QUOI

Trois fois!

STAR

Un vrai «va chier» pis clack, la personne raccroche!

DRAK

Moi, ça m'arrive pas. C'est moi qui les envoie chier!

QUOI

C'est toi qui les envoies chier?

DRAK

J'envoie chier ceux qui sont fins avec moi. J'haïs les hypocrites. Je m'entends toujours mieux avec le monde bête. Au moins le rapport est vrai.

SHIT

Moi, j'ai rajouté une question au sondage!

QUOI

T'as rajouté une question.

STAR

Maudit que t'es fou! C'est quoi?

SHIT

Attendez, je l'ai ici. *(Il fouille dans sa poche et sort un papier plié.)* À la toute fin, je leur posais cette question-là : «compte tenu que la société est formée d'individus complexes et différents les uns des autres, diriez-vous, en utilisant une note entre un et dix, que la futilité de ce questionnaire basé sur un fondement scientifique cherchant à créer un corollaire socio-économique dressant le portrait de l'impulsivité générale du client, repose néanmoins avant tout sur une distorsion volontaire de la réalité et nous engage tous vers une débandade des valeurs sociales, le mot valeur étant ici utilisé non pas pour indiquer une quantité de mesure métrique ou monétaire, mais bien pour évaluer les qualités morales du répondant. VRAI ou FAUX?»

STAR

Maudit que t'es fou!

SHIT

Le pire, c'est que tout le monde a répondu!

Rires. Star chante.

Maudit que le monde y sont fous

MAUDIT QUE LE MONDE Y SONT FOUS.
MAUDIT QUE LE MONDE Y SONT FOUS!
MAUDIT QUE LE MONDE Y SONT FOUS!!!
JE SERAIS FOLLE DE PAS ÊTRE FOLLE ITOU.

MOI QUAND JE CONDUIS MON AUDI,
VERS LA FIN DE L'APRÈS MIDI...
COMME UN TROUPEAU DE VACHE QUI BROUTE:
TOUT LE MONDE SUR LA MÊME AUTOROUTE!

ON PENSERAIT JAMAIS
QU'Y A AUTANT DE GENS
QUI PEUVENT RENTRER
DANS UNE AUTOMOBILE.

JE ME DEMANDE OÙ C'EST QUE LE MONDE VA?
JE ME DEMANDE OÙ C'EST QUE LE MONDE VA?

LA BM VERTE,
LES FENÊTRES OUVERTES,
C'EST UN DOCTEUR ÇA C'EST SÛR.
LA RENAULT BLEUE,
QUI FAIT CRIER SES PNEUS,
C'EST UN VENDEUR DE CHAUSSURES.

MAUDIT QUE LE MONDE Y SONT FOUS.
MAUDIT QUE LE MONDE Y SONT FOUS!
MAUDIT QUE LE MONDE Y SONT FOUS!!!
JE SERAIS FOLLE DE PAS ÊTRE FOLLE ITOU!

LE PLUS FOU C'EST MON PÈRE.
NON MAIS VRAIMENT Y EXAGÈRE!
«POUR TA FÊTE VOICI UNE AUDI
AINSI QUE L'ARGENT POUR TON PERMIS.»

FAUT METTRE DU GAZ,
CHANGER SON HUILE,
CHANGER SES PNEUS,
ALLER AU GARAGE.

JE ME DEMANDE OÙ C'EST QUE LE MONDE VA.
JE ME DEMANDE OÙ C'EST QUE LE MONDE VA.

26

La Ford Mustang,
Sur la route de campagne,
C'est un joueur de trombone.
La belle Audi noire,
Les gens pourraient pas croire
Qu'a fait des sondages au téléphone!

Maudit que le monde y sont fous.
Je serais folle de pas être folle itou!

Je me demande où c'est que le monde va.
Je me demande où c'est que le monde va.

5

Quoi et Love se retrouvent seuls.

LOVE

C'est en fumant des joints que je me suis rendue compte que j'étais pas à l'écoute de ce qui se passe en dedans. Je sortais souvent, dans les bars. J'ai un problème avec ça, les bars. Ben, pas les bars, avec les gars, plus.

QUOI

Avec les gars, plus?

LOVE

J'aime ça un petit peu trop. Ben, c'est dur de savoir c'est quoi qui est normal. Le goût de baiser normal, ça devrait être quoi, on sait pas. Tout le monde est tellement hypocrite par rapport à ça. Mais depuis que je fréquente mon groupe de S.A., je vois qu'y en a des pires que moi. Ça pourrait être rassurant, mais en même temps, j'entends leur cheminement pis je me dis que c'est peut-être par là que je m'en allais. Y en a qui sont obligés de s'absenter du travail pour aller... tu comprends? Moi je me verrais pas aller baiser en cachette dans une toilette, pendant un break. Ben, c'est pas vrai, je me verrais, mais j'aime mieux pas y penser. Parce que c'est quand tu y penses, quand tu y penses tout le temps : tiens par exemple, y a un gars qui disait qu'à chaque fois qu'y rentrait une clé dans une porte, ben y voyait un pénis rentrer dans un vagin. C'était un gars des S.A., justement.

QUOI

Un gars des S.A.?

LOVE

Sexolique Anonyme. C'est un phénomène de ville, y paraît. Y a une étude qu'y a été faite sur une espèce de... de rouge-gorge.

QUOI

De rouge-gorge?

LOVE

Ouin. Y paraît que les rouges-gorges, c'est une espèce d'oiseau qui, normalement, sont fidèles toute leur vie quand y sont en campagne. Mais quand y vivent en ville y deviennent infidèles, parce qu'y ont moins grand de territoire pis qu'y peuvent commencer à regarder la partenaire du voisin. Ça serait pour ça que la ville, ça incite à avoir des échanges sexuels fréquents.

6

Olyp et Hapy s'animent.

OLYP

C'est pas que j'aime pas le monde, mais quand t'es avec trop de monde autour, tu penses pas. Tu parles ou ben t'écoutes, mais tu penses pas. T'as-tu remarqué ça?

HAPY

Je sais pas.

OLYP

Tu vois quand j'écoute, j'aime mieux faire semblant d'écouter que d'écouter pour vrai. Parce que si j'écoute, je fais juste entendre des choses. Pis c'est comme une invasion : les mots qui sont dans ma tête, c'est pas les miens : c'est ceux des autres! Tu comprends-tu?

HAPY

Moi je pense que si on a une bouche, c'est pour parler.

OLYP

En tout cas, je vas bouger, c'est sûr.

HAPY

Quoi qu'on a aussi des oreilles pour écouter! Ça règle pas le problème, ben, ben! Probablement qu'y faut faire les deux : parler, écouter, parler, écouter, parler...

OLYP

Pis y a le cerveau. Y faut penser, aussi.

Elle se prend une cigarette qu'elle porte à sa bouche.

HAPY

Pis avec la bouche, on peut manger, boire. Avec les oreilles, on peut rien qu'écouter, c'est bizarre.

OLYP

Quoi donc?

HAPY

Les oreilles ont juste UNE fonction.

OLYP

Ah bon.

7

Love et Quoi, toujours en tête à tête, poursuivent leur discussion.

LOVE

Tu vois moi aussi, comme les rouges-gorges, je viens de la campagne. C'est pour ça que j'ai trouvé ça dur les HEC.

QUOI

T'as trouvé ça dur les HEC?

LOVE

C'est ben compétitif. Comme si y avait pas assez de place sur la branche pour tous les oiseaux. Tu vois, moi je me suis rendu compte que c'est mon corps qui me donne les sensations les plus agréables. C'est quand je le partage avec quelqu'un que je suis le plus proche du bonheur. C'est pour ça que le travail, c'est pas important. C'est pas une job très agréable, les sondages, mais je suis pas obligée d'être meilleure que les autres. Pis on rencontre du monde. Du monde qu'y ont pas peur de fumer de la drogue. Pis ça favorise les échanges. J'aime beaucoup ça parler.

QUOI

T'aimes beaucoup ça parler?

LOVE

Mais toi? Tu parles pas beaucoup, non?

QUOI

Je parle pas beaucoup, non.

*On quitte un moment cette scène pour suivre Shit
qui s'adresse à Ovni et Ouch.*

SHIT

Je sais pas si quand on meurt, on perd graduellement ses sens. Ou
bien si on les perd tous en même temps. Peut-être que la première
chose qu'on perd, c'est le toucher. On a l'impression de flotter dans
le vide. Après, peut-être qu'on perd le goût. Qu'on sent pus les
odeurs. Me semble que, je sais pas, mais dans ma tête à moi, une des
dernière chose dont on doit avoir conscience avant de mourir, c'est
la lumière. On doit voir la lumière s'éteindre. Après ça, on doit
entendre des sons. Des restants de phrases. Des voix, des mots qui
résonnent dans la tête. Ça doit être comme ça que ça finit.

*Retour à Love qui fait glisser sa main sur la joue de
Quoi et entonne sa chanson. Love chante.*

Tomber en désir

SI J'ÉTAIS UN PEU PLUS BELLE,
TU SERAIS SÛREMENT PLUS BEAU.
SI J'TAIS INTELLECTUELLE,
TU SERAIS UN VICTOR HUGO.
POUR QUE JE ME DÉSHABILLE
FAUT QUE TU PENSES À MOI NUE.
SI J'AI PAS LES YEUX QUI BRILLENT
LES TIENS SE RALLUMMERONT PUS.

TU ME FAIS TOMBER EN DÉSIR.
TU ME FAIS CHUTER DANS LE PLAISIR

QUI S'ÉTIRE.
TES YEUX SONT DES AIMANTS
QUI ME FONT GENTIMENT
SOUFFRIR.
RIEN À FAIRE,
Y FAUT SE LAISSER FAIRE.
C'EST LA BELLE CHIMIE
DES CORPS QUI S'ATTIRENT.

SI J'ÉTAIS RENTRÉE CHEZ MOI,
ÇA SERAIT PEUT-ÊTRE UNE AUTRE
QUE T'AURAIS DEVANT TOI,
MAIS TU REGARDERAIS TA MONTRE.
SI J'ÉTAIS PAS BAVARDE,
TU M'ÉCOUTERAIS PAS AUTANT.
LA FAÇON QUE TU ME REGARDES,
JE SAIS QUE C'EST PALPITANT.

Elle parle, la musique continue.

Des fois, quand je suis gelée, je fais des choses que j'aurais jamais pensé faire. Je suis surprise des idées que j'ai. Ou même des mots que j'utilise. On dirait que j'ai plus de vocabulaire quand j'ai pris un joint.

Elle recommence à chanter.

TU ME FAIS TOMBER EN DÉSIR.
TU ME FAIS CHUTER DANS LE PLAISIR
QUI S'ÉTIRE.
TES YEUX SONT DES AIMANTS
QUI ME FONT GENTIMENT
SOUFFRIR.

RIEN À FAIRE,
Y FAUT SE LAISSER FAIRE.
C'EST LA BELLE CHIMIE
DES CORPS QUI S'ATTIRENT.

JE SAIS PAS SI C'EST NOS ATOMES QUI SONT CROCHUS
OU SI C'EST JUSTE DANS MA TÊTE QUE LES PENSÉES SONT CROCHES.
JE SAIS PAS SI TOI T'ENTREVOIS UN PEU LA MÊME VUE
OU SI T'ES TROP DISTANT POUR ÊTRE UN PEU PLUS PROCHE.

JE NOUS VOIS ASSIS AU CINÉMA.
NOS DEUX COUDES ACCOUDÉS.
JE NOUS VOIS K.O. DANS LE COMA,
COUCHÉS APRÈS S'ÊTRE TOUCHÉS.

TU ME FAIS TOMBER EN DÉSIR..
TES YEUX SONT DES AIMANTS...
SOUFFRIR!

Fin de la musique, Love parle.

LOVE

C'est moi qui est la fournisseuse officielle au bureau. Si jamais tu veux fumer, tu viens me voir, hein?

8

On retrouve Olyp et Hapy.

OLYP

J'ai une idée. Avec des fleurs. J'aimerais ça partir ma compagnie de quelque chose avec des fleurs.

HAPY

Les fleurs, ça met de la couleur, ça sent bon.

OLYP

Mais le problème avec les fleurs, c'est qu'y en a beaucoup. Y a les petites madames qui se promènent dans les restaurants avec des roses. Les fleuristes. Les fleurs séchées. Les fleurs en peinture. Les fleurs du tapis. Le monde aime ça, les fleurs.

HAPY

Moi, y a eu une époque où ça m'arrivait souvent de donner des fleurs.

OLYP

Tu vois : le monde aime ça.

HAPY

Mais j'ai pas de mérite : je suis plus un gars qu'y aime donner que recevoir.

OLYP

Peut-être que c'est pas une bonne idée, les fleurs, finalement. Y en a trop.

Hapy indiquant la cigarette qu'elle a à la bouche et qu'elle n'a toujours pas allumée.

HAPY

Tu veux-tu que je te trouve du feu?

OLYP

Non, j'ai arrêté de fumer.

9

Drak et Star discutent ensemble.

DRAK
Y a quelque chose qui me pousse à vouloir le Mal.

STAR
Maudit que t'es fou!

DRAK
À le chercher!

STAR
T'es vraiment fou!

DRAK
Tout le temps!

STAR
Ah oui?

DRAK
Tout le temps.

STAR
Ah bon.

DRAK

Tout le temps.

STAR

Eh ben.

DRAK

Ça te fait-tu peur?

STAR

Je vois pas pourquoi j'aurais peur. C'est en toi que ça se passe. Moi ça m'est déjà arrivé d'avoir mal au ventre, mal à la tête, surtout avant les menstruations, ben sûr, mal au coude aussi, t'sais quand tu cognes le petit nerf sensible qu'y a dans le coude?

DRAK

Oui.

STAR

J'ai eu mal aux jambes, après avoir trop marché, mal aux dents... mal à la tête... ben non, je l'ai déjà dit celui-là! En tous cas, je pense que j'ai faite le tour. Mais qu'est-ce que je voulais dire donc? Ah oui! J'ai eu mal à ben des places, mais avoir mal, ben sentir le mal, je sais pas trop comment tu dis ça...

DRAK

Le mal de vivre.

STAR

Moi, j'ai jamais vraiment senti ça. Faut dire que mes parents ont beaucoup d'argent.

Shit, Ovni et Ouch.

SHIT

Bonjour le progrès, mon gars! On envoie un petit robot baptiser des roches sur Mars, pendant qu'y a des milliers de p'tits nègres qui crèvent de faim en... en... C'est où déjà, la famine?

OUCH

C'est en Afrique, non?

SHIT

Oui, mais où en Afrique?

OVNI

Euh... je sais pus trop, là.

OUCH

Y a pas juste en Afrique, là; on est pas obligés de chercher aussi loin. Dans l'est de la ville, aussi. Y a plein d'enfants, là, qui peuvent pas déjeuner pour aller à l'école.

SHIT

Non, non. Moi je parle de la vraie affaire, là.

OUCH

C'est la vraie affaire, dans l'est. Y sont obligés d'leur donner des muffins sinon... Y paraît qu'y a une p'tite fille qui s'est étouffée en mangeant son efface.

OVNI

Non?

OUCH

A s'est ramassée à l'urgence.

OVNI

Pourquoi? L'efface est restée pognée dans'gorge?

OUCH

Peut-être. Ou ben c'était une efface toxique.

OVNI

Une efface toxique?

OUCH

On sait pas en quoi c'est faite. Surtout les roses et bleues. Ç'a l'air chimique au boutte!

SHIT

La famine, c'est en Afrique, ça c'est sûr.

11

Drak et Star.

STAR

Je comprends pas le monde qui écrit des poèmes. C'est un peu niaiseux de vouloir faire ça dans la vie. Écrire des poèmes. C'est assez facile. Tout le monde est capable d'écrire des poèmes. Tu fais des phrases qui riment. C'est facile en crime!

DRAK

Quand t'écris des poèmes, c'est pas pour faire cute. Faire des rimes, ça fait cute. D'ailleurs les grands poètes d'aujourd'hui, y font pus de rimes. Le mal, je veux dire quand on veut parler du mal, ça fitte pas ben ben avec les rimes. Hey! C'est bon ça!

Il ouvre son livre et note la phrase dans son cahier.

STAR

Toi, c'est-tu des poèmes pas cutes que t'écris?

DRAK

Non. C'est un genre de journal. Tu vois, c'est tout écrit en rouge. C'est pour la symbolique du sang. Les mots qui sont là, ce sont les mots qui m'ont coulé dans les veines.

STAR

Moi j'aimerais ça être comédienne. Ça doit être le fun de passer à la télévision. Moi, ce que j'aimerais surtout faire, c'est une annonce, t'sais comme le bon comédien qui fait plein de personnages. Y fait même une femme, sa mère, d'ailleurs je me demande si a ressemble à ça, sa mère.

DRAK
Tu parles de l'annonce de Bell.

STAR
Oui! Ça c'est bien. J'aimerais ça trouver une compagnie intéressante comme Bell pis faire les annonces. Mon père serait ben content, je pense.

DRAK
Moi, même si je sais que ce que j'écris va bouleverser le monde littéraire, je ferai pas de démarche pour être publié de mon vivant. D'ailleurs, je me suis dit que quand je vais avoir fini de remplir ce livre-là, faut que ma vie soit finie.

STAR
Ah bon.

DRAK
Une fois que je vais avoir complété la dernière ligne de la dernière page, je me suicide.

STAR, *avec un peu d'humour*
Une chance qu'y est épais.

DRAK, *très sérieux*
J'ai beaucoup de choses à dire.

Shit, Ovni et Ouch.

SHIT

La famine, c'est en Afrique, ça c'est sûr, mais c'est quoi le nom du pays, déjà? C'est quand même pas toute l'Afrique qui crève de faim, là. C'est con : y l'annoncent à la tévé, tard le soir.

OVNI

Ce qu'y annoncent tard le soir, c'est surtout des machines pour te shaper les cuisses, les fesses pis la bédaine.

SHIT

L'émission «adoptez un p'tit nègre»! C'est quoi donc, le pays?

OUCH

C'est pas l'Éthiopie?

SHIT

Non, non. C'est quand on était jeune, ça, l'Éthiopie. Ça doit être réglé maintenant : y a des restaurants éthiopiens à Montréal!

OVNI

Pis?

SHIT

Ben là, y sont pas pour partir des restaurants éthiopiens ici, si y ont pas réglé le problème de bouffe là-bas, me semble. Ça serait pas logique!

OUCH

Les américains, y ont jamais été logiques!

SHIT

Qu'est-ce que les américains viennent faire dans ça?

OUCH

C'est pas eux autres qu'y ont ouvert les restaurants éthiopiens?

SHIT

Je penserais pas.

OUCH

En tout cas, le poulet frit Kentucky, c'est américain, pis c'est pas logique!

OVNI

Comment ça, c'est pas logique?

OUCH

Les frites au poulet! C'est pas eux autres qui ont inventé les frites au poulet? C'est pas logique de manger des frites au poulet avec du poulet!

SHIT

Y ont des frites au poulet?

OVNI

T'es sûre?

OUCH

Me semble.

13

Quoi est seul dans son coin. Le nez au fond de son verre. Quoi chante.

Je m'écœure

JE M'ÉCŒURE.
JE VOUDRAIS CRIER
MAIS J'AI TROP PEUR.

JE M'ÉCŒURE.
JE VOUDRAIS PARLER
MAIS ÇA PASSE DANS L'BEURRE.

J'AI ÉTÉ FRAPPÉ, DANS MON SALON, PAR UN REPORTAGE TÉLÉ.
J'AI VU DES VISIONS, DANS UNE AUTRE DIMENSION, DE CE QU'ON A TOUS ÉTÉ.
DES SINGES POILUS, PLUS OU MOINS BARBUS, QUI SE TIENNENT SUR DEUX PATTES.
PIS JE ME SUIS DÉSHABILLÉ, FLAMBANT NU, AU BEAU MILIEU DE MON APPARTE.
J'AI RETRACÉ LES PAS, SUR MON TAPIS ANCIEN, D'UN AUSTRALOPITHÈQUE;
UN PEU MOINS BARBARES QUE NOS TRANSES DE DANSES DANS LES DISCOTHÈQUES.
COMME UNE CHAISE DE PARTERRE, J'AI PLIÉ MES JAMBES, PIS J'AI EU MAL AUX OS.
ÇA M'A DONNÉ BEN SOIF. LES QUATRE FERS EN L'AIR À FAIRE LE BOZO!
J'AI DÉPOSÉ PAR TERRE, SUR LE VIEUX TAPIS VERT, MON EAU DANS UN VERRE.
J'AI IMAGINÉ MA BOUCHE, OUVERTURE PRIMITIVE, AVALANT LA RIVIÈRE.
J'AI SENTI DERRIÈRE L'ODEUR SOURNOISE ET PESANTE D'UN PRÉDATEUR.
C'ÉTAIT PAS UNE ODEUR, RIEN QUE LA LUEUR DU CADRAN PIS SON HEURE.

J'AVAIS BIEN RAJEUNI, AU MILIEU DE MA NUIT, D'UN MILLION D'ANNÉES.
RETROUVÉ TOUS MES SENS. OUBLIÉ MON ENNUI DANS CETTE ÉTERNITÉ,
MAIS JE SUIS RETOMBÉ, COMME UNE CAISSE DE BIÈRES, EN PLEINE ÈRE GLACIÈRE.
COMME DU PAPIER HUMIDE, ÉPUISÉ DANS LE VIDE D'UNE PAUSE PUBLICITAIRE.

JE M'ÉCŒURE.
JE VOUDRAIS ME LEVER
MAIS J'AI TROP PEUR.

JE M'ÉCŒURE.
JE VOUDRAIS RENTRER
MAIS Y EST TROP DE BONNE HEURE!

14

Retour sur Ovni, Shit et Ouch.

OVNI
Le Kosovo! Ça doit crever de faim, là!

SHIT
C'est pas en Afrique, ça!

OVNI
Tu cherchais pas un pays où le monde a faim? Le monde doit avoir
faim au Kosovo, non? En Irak, à Sarajevo... T'as sûrement du monde
qui ont faim dans ces places-là!

SHIT
Non, là, c'est la guerre. C'est pas la famine!

OUCH
Sarajevo? 'Est pas finie cette guerre-là?

OVNI
Ah oui?

OUCH
Je pense.

SHIT

C'est qui qui a gagné?

OUCH

Je sais pas trop. 'Est peut-être pas finie.

OVNI

Oui. Me semble qu'on en aurait entendu parler.

15

Star et Drak poursuivent leur discussion.

STAR

Je suis-tu inspirante? Pour un poème pas cute, je veux dire. Ou pour d'autres sortes de manière d'écrire des mots.

DRAK

Dans la vie, quand on sait bien regarder les choses, tout peut devenir inspirant. Même la chose la plus insipide peut réveiller l'inspiration d'un grand artiste!

STAR

Mais je veux dire, si t'avais un personnage à écrire, que je pourrais jouer. Ça pourrait ressembler à quoi?

DRAK

Je sais pas trop. Faudrait que j'arrive à te connaître plus.

STAR

Ben là! Tu me connais, je pense. On travaille ensemble. On prend nos breaks ensemble. Y a l'heure de dîner, aussi.

DRAK

Si tu veux vraiment une réponse sérieuse, faut que je prenne le temps de bien te saisir.

STAR

Supposons que je ferais une annonce pour une compagnie importante. Hydro-Québec, IGA, Miss Clairol, euh... McDonald! Tiens, si je faisais une annonce pour McDo, ça serait quoi mon personnage que je pourrais faire?

DRAK

Écrire de la publicité, c'est contre mes principes.

STAR

Tu vois, moi je me verrais très bien faire un rôle de comptable. Si je pouvais jouer un rôle de comptable à la télévision, mon père serait content, sûrement. Une comptable qui mange un Big Mac, ça pourrait être pas pire.

DRAK

Je pourrais écrire un personnage de roman à partir de toi.

STAR

Ah oui? Quel genre de roman?

DRAK

J'écris surtout du roman noir.

STAR

Tu me verrais dans un roman noir? Maudit que t'es fou!

DRAK

Ce qui faudrait faire... Attends. Tu devrais venir passer une soirée chez moi. On se ferait une bouffe, avec ben du vin rouge, on jaserait, on essayerait de connecter.

STAR

Hey! Faut j'aille changer mon tampon! Je vas revenir, OK?

Star se lève. Oyp et Hapy s'animent pendant
qu'Ovni en profite pour aller rejoindre Drak.

OLYP

Tu vois quand j'écoute, j'aime mieux faire semblant d'écouter que
d'écouter pour vrai. Parce que si j'écoute, je fais juste entendre des
choses. Pis c'est comme une invasion : les mots qui sont dans ma
tête, c'est pas les miens : c'est ceux des autres! Tu comprends-tu?

HAPY

Moi je pense que si on a une bouche, c'est pour parler.

Ovni a rejoint Drak.

OVNI

Qu'est-ce tu fais?

DRAK

Quoi, qu'est-ce que je fais?

OVNI

Avec Star?

DRAK

Rien. Je socialise.

OVNI

Fuck! A représente tout ce que t'haïs, cette fille-là! Insignifiante,
matérialiste au boutte.

DRAK

Justement! Tant qu'à faire mal à quelqu'un!

OVNI

Osti, Drak!

DRAK

Mais toi, ç'a pas l'air d'aller. Toujours en amour avec Love?

OVNI

Un peu pas mal, oui.

DRAK

Ah! Ces hommes qui aiment trop!

OVNI

T'as-tu vu? A parlait avec le petit nouveau.

DRAK

C'est sûr : c'est le seul gars ici avec qui a l'a pas couché.

OVNI

Osti que tu me fais chier, des fois.

DRAK

C'est pour ça que tu m'aimes. Je suis l'œil lucide qui te permet de bien saisir le réel. Faut pas que tu t'éloignes de moi, Ovni. Je te montrerai comment sucer la substantifique moelle des filles. Veux-tu coucher avec moi, ce soir?

OVNI

Osti de pervers!

DRAK

Me semble que je suis pas pire, comme prix de consolation.

OVNI

C'est pas que ça me tente pas, Drak, mais j'ai promis à ma blonde que je rentrerais pas trop tard.

Ovni chante.

Revenir

J'AI LAISSÉ MON ÉTAT D'IVRESSE DANS LE DERNIER MÉTRO.
JE QUITTE MA PETITESSE, CE MOMENT QUE J'AIMAIS TROP.
LE GARS AU BAR QUI RIAIT FORT DEBOUT SUR LE COMPTOIR,
SUR LA POINTE DES PIEDS, REVIENT CHEZ LUI DANS LE NOIR.

MA TÊTE TOURNE ENCORE, MAIS DANS LE SENS INVERSE.
J'AI ÉTÉ DÉSERTÉ PAR TOUTES MES PENSÉES PERVERSES.
JE FAIS LE TOUR DE LA PEAU DE LA FILLE QUE J'AIME,
JE RENIE L'INGRAT QUI SE CACHE EN MOI-MÊME.

JE VAIS REVENIR.
REDEVENIR MOI.
ME DÉSHABILLER.
ELLE VA ME DIRE
TU SENS LA BIÈRE.
DANS LA LUNE JE VAIS ME TAIRE.

REVENIR DE LOIN.
REDEVENIR MOI.
MIEUX LA RÉVEILLER.
JE VAIS L'EMBRASSER.
ROUVRIR LA LUMIÈRE.
CONTEMPLER LE TEMPLE DE SA CHAIR.

QUAND 'EST PAS LÀ,
JE L'OUBLIE.
PIS QUAND 'EST LÀ,
J'ESSAIE D'OUBLIER
QUE JE L'AI OUBLIÉE.

SI UN JOUR DE MALHEUR, JE RENCONTRE MON ÂME SAOULE,
ET QUE J'ARRIVE ENCORE, TITUBANT, À ME TENIR DEBOUT,
DANS LE POISON D'ALCOOL, J'Y LAISSE L'ÂME POUR QU'ELLE COULE;
APRÈS JE RECOLLE MA VIE EN ENLEVANT DES LONGS BOUTS.

REVENIR À MOI.
REDEVENIR À ELLE.
ME DÉBARBOUILLER
POUR ME RAFRAÎCHIR.
LES IDÉES PAS CLAIRES.
FAIRE UNE OSTIE DE BELLE PRIÈRE!

REVENIR À ELLE.
VERS UN AUTRE MOI.
MES YEUX VONT PARLER
DE CE QUE JE SAIS PAS DIRE.
SES GRAINS DE BEAUTÉ
VONT VOULOIR QUE JE LES AIME.

QUAND 'EST PAS LÀ,
JE L'OUBLIE.
PIS QUAND 'EST LÀ,
J'ESSAIE D'OUBLIER
QUE JE L'AI OUBLIÉE.

DEUXIÈME MOUVEMENT

1

Le chœur des sondeurs récite le texte de l'encadré.
Une fois que le chœur a terminé, la musique
démarre et Lune se met à chanter.

CHŒUR DES SONDEURS
Pour la prochaine série de question,
Nous aimerions savoir si vous êtes tout à fait d'accord,
Assez d'accord,
Plutôt d'accord ou pas du tout d'accord
Avec chacun des énoncés suivants:
Le prix que vous payez pour la consommation d'électricité est raisonnable
Si on compare à ce qui se fait dans d'autres pays.
Tout à fait d'accord, assez d'accord, plutôt d'accord ou pas du tout d'accord?
Vous seriez prêt à payer plus cher si on vous garantissait un meilleur service.
Tout à fait d'accord, assez d'accord, plutôt d'accord ou pas du tout d'accord?
L'électricité est la source d'énergie de l'avenir
quand on pense aux problèmes de pollution
qu'engendrent les autres sources d'énergie.
Tout à fait d'accord, assez d'accord, plutôt d'accord ou pas du tout d'accord?

La question de l'environnement me préoccupe beaucoup.
Tout à fait d'accord, assez d'accord, plutôt d'accord ou pas du tout d'accord?

Lune chante.

Deuxième ciel

LE CIEL BRILLE,
S'ÉPARPILLE.
DANS LA LUMIÈRE,
Y A DES GRAINS DE POUSSIÈRE.
LE CIEL BRILLE.

LE CIEL CHAUFFE.
TOUT S'RÉCHAUFFE.
SUR LA VITRE,
LES MOUCHES SONT CUITES.
LE CIEL CHAUFFE.

*Un groupe se forme autour de Drak et Ange.
S'ajoutent Shit, Lune, Ovni, Ouch , Star, Hapy et
Love.*

DRAK

S'cuse-moi... Qu'est-ce tu lis?

ANGE

La Bible.

DRAK

La Bible! Wow! C'est intéressant!

LUNE

Laisse-la donc tranquille, DRAK!

DRAK

Ben quoi? 'Est nouvelle, j'essaye de l'intégrer, un peu. Pour une fois
que je fais preuve de gentillesse!

SHIT

My God! DRAK qui essaye de faire preuve de gentillesse!

DRAK

Ben quoi?

SHIT

Ça va pas du tout, là! Est-ce que quelqu'un ici aurait remplacé l'eau du café par de l'eau bénite, par hasard?

DRAK, *à Ange*

On peut savoir pourquoi tu lis la Bible? C'est-tu parce que l'Apocalypse s'en vient?

2 b

L'éclairage vient isoler Ange et Lune. Les autres personnages, immobiles, les regardent en silence.

LUNE

Tu le cherches?

ANGE

Qui?

LUNE

Lui. *(Parlant de sa Bible.)* C'est pas dans ça que tu vas le trouver, je pense.

ANGE

Tu le cherches, toi aussi?

LUNE

Non.

ANGE

Tu l'as trouvé?

LUNE

Je sais qu'Y se cache sûrement pas dans ce gros livre-là.

ANGE

Tu l'as déjà rencontré, c'est ça?

LUNE

Je ressens pas vraiment le besoin de le rencontrer. Mais je peux comprendre... Moi aussi j'aime les choses invisibles.

ANGE

Dieu est pas invisible. C'est pas parce qu'on le voit pas qu'Y est invisible. Y est seulement invisible parce que notre Foi est pas assez grande. Y faut travailler à faire grandir sa Foi. C'est à ça que sert la Bible. Je sais pas si tu sais, mais la vie est dangereuse.

LUNE

Oui, je suis au courant, moi aussi.

ANGE

Si on lit le journal au lieu de lire la Bible, la Foi finit par se briser. Un jour je vais le voir. Ou l'entendre. Ça va se passer comme Y veut. Je Lui laisse l'entière liberté du choix. Si Y se montre, je vais Le regarder. Si Y préfère me parler, je vais L'écouter. Mais je suis patiente. Dieu vit dans l'éternité. Faut accepter de fonctionner à son rythme.

LUNE

Qu'est-ce que t'aimerais mieux? Le voir ou L'entendre?

ANGE

Les deux! (Elle rit.) Je voudrais Le voir, L'entendre, Le toucher... Le sentir, même! Je sais pas à quoi ça peut ressembler l'odeur de Dieu, mais ça doit tellement faire de bien à l'intérieur du nez! Y a toutes sortes d'odeurs magnifiques qui doivent te chatouiller le nez!

LUNE

Mais si tu devais choisir entre Le voir ou L'entendre?

ANGE

Mon Dieu... J'aimerais mieux qu'Y me parle. Pour me dire quoi faire. C'est tellement dur de savoir quoi faire.

LUNE

Peut-être qu'Y te parle déjà.

ANGE

Qu'est-ce tu veux dire?

LUNE

Peut-être que tu l'entends pas?

ANGE

Je penserais pas... Tu penses qu'Y me parle?

LUNE

Peut-être que tu reconnais pas sa voix. On vit dans un monde où y a beaucoup de bruits. Beaucoup trop de bruits.

Ange regarde longuement Lune. Drak s'anime.

DRAK

On peut savoir pourquoi tu lis la Bible? Pourquoi tu lis la Bible?

Léger temps. Drak se réimmobilise.

ANGE

Tu cherches quelque chose, toi aussi, non?

LUNE

Je cherche quelqu'un qui me manque. Qui m'a toujours manqué. Quelqu'un que je connais mais que j'ai jamais rencontré...

ANGE

T'es certaine que c'est pas Dieu que tu cherches?

LUNE

Je cherche ma sœur.

ANGE

T'as une sœur que t'as jamais rencontrée?

LUNE

Oui. Ma sœur jumelle.

ANGE

Où est-ce qu'elle est?

LUNE

Partout. Dans l'invisible.

ANGE

Je veux pas te contredire, mais c'est uniquement Dieu qui peut être partout à la fois pis invisible...

LUNE

Elle a pas survécu à l'accouchement.

ANGE

Ah! Est morte! C'est ça que tu voulais dire... Excuse-moi, je voulais pas te faire de la peine.

LUNE

Ça va.

ANGE

Qu'est-ce qui est arrivé?

LUNE

Est morte avant d'être née.

ANGE

Je suis désolée pour toi... pour elle! Pour vous deux! J'imagine que Dieu avait ses raisons. Je vais prier pour vous deux ce soir, OK?

LUNE

C'est pas grave. On avait chacune notre chemin à prendre. Moi je vis dans le monde qui est ici, qu'on peut voir, qu'on peut toucher. Elle, 'est partie vers l'invisible. C'est par là que s'en allait son chemin... Mais c'est un chemin qui est pas tellement loin, je suis sûre. J'ai l'impression de sentir sa présence, souvent. Pis moi, je suis plus chanceuse que toi avec ton Dieu. Si je veux la voir, j'ai juste à me regarder dans le miroir, pis 'est là, devant moi.

ANGE

Ben oui, c'est vrai...

LUNE

C'est en regardant dans le miroir que j'ai compris que j'avais une sœur jumelle.

ANGE

Tu le savais pas?

LUNE

Personne m'a jamais rien dit. Mais j'ai passé toute une soirée à regarder mon reflet, pis j'ai vu mon visage devenir quelqu'un d'autre. Quelqu'un qui avait les mêmes traits que moi. Mais c'était pus moi. C'était elle. Ma sœur jumelle.

ANGE

Ah bon...

2 a (suite et fin)

Retour à la situation de groupe.

DRAK

Pourquoi tu lis la Bible? C'est-tu parce que l'Apocalypse s'en vient?

OVNI

Hey! Tu dois savoir ça, toi : pour aller voir le Bon Dieu atterrir sur
Terre avec sa soucoupe volante... Faut-tu s'adresser directement au
Ciel ou ben les billets sont en vente sur le réseau Admission?

ANGE

Dieu est en chacun de nous. Y a pas besoin de soucoupe volante
pour nous rejoindre.

DRAK

Je veux pas te décevoir, la petite, mais ça m'étonnerait ben gros que
ton Dieu soit en moi!

ANGE

Y est peut-être petit parce que tu lui fais pas beaucoup de place, mais
y attend seulement un geste de ta part pour t'habiter pleinement.

DRAK

Ben y va attendre longtemps!

ANGE

Dieu est capable d'attendre longtemps.

Léger temps.

OUCH

Ben voyons donc! T'es sûre que Dieu existe, toi là? Comment que t'expliques ça que les restaurants McDonald sont capables de détruire des forêts pis de fourrer le monde, d'abord?

DRAK

Ça serait-tu que Dieu peut pas faire de miracle?

ANGE

Le mal est causé par l'Homme, pas par Dieu.

Boss entre.

STAR

Les restaurants McDo détruisent pas des forêts, franchement. Y font des hamburgers. Y a pas de forêt dans les hamburger. C'est du bœuf, du pain, de la sauce, de la laitue...

OUCH

Pour élever des bœufs, ça prend des champs. Pis pour faire des champs, McDonald y détruit des forêts, tu sauras.

STAR

Une chose est certaine : McDo fourre pas les pauvres. McDo y fait une bouffe mangeable que les pauvres sont capables de se payer.

BOSS

Puisqu'on semble discuter philosophie, aujourd'hui, j'aimerais ça vous poser une question. Combien de temps ça dure un break?

Comment ça se fait que ça déborde toujours? Comment ça se fait que le temps a tendance à devenir élastique quand vous prenez votre break, hein?

SHIT
Oh! Boss, laisse-nous un petit deux minutes de plus!

BOSS
Hey! Combien de temps ça dure un break? Combien de minutes?

HAPY
Normalement, c'est quinze minutes.

BOSS
Comment ça normalement? Y a pas de normalement. Un break, ça peut seulement avoir une durée. C'est quinze minutes. Quinze minutes hier. Quinze minutes aujourd'hui. Quinze minutes demain. Éternellement quinze minutes!

SHIT
C'est parce que la conversation a atteint des sphères très élevées. Imagine, Ovni pis Drak sont pas en train de parler de sexe!

DRAK
Mais inquiète-toi pas, Shit, on allait y venir!

OVNI
Tout mène au sous-entendu sexuel dans cette triste vie.

LOVE
C'est pas des sondages que vous devriez faire, les gars, c'est des téléphones érotiques.

DRAK

Le problème, c'est que les seules lignes érotiques qui engagent des gars, c'est pour les fifs! *(À Ange.)* Pis l'homosexualité c'est un péché condamné par Dieu, je me trompe pas?

BOSS

Le break est terminé, je pense.

Tous, sauf Lune et Ange, vont s'installer en rang.

DRAK, *imitant une voix de fille*

À moins qu'on prenne des voix de fille!

OVNI, *même jeu*

Ah oui! Fais-moi mal! Fais-moi mal!

Fou rire collectif. Ils sont sortis. Un temps. Lune s'approche d'Ange qui ferme sa Bible et se lève.

LUNE

Excuse-les, hein?

ANGE

Pourquoi? Parce qu'ils savent pas ce qu'ils font?

LUNE

Est bonne. C'est bien de voir que tu prends pas ça trop au sérieux.

ANGE

Quoi? Dieu ou leurs niaiseries?

Boss revient chercher les deux filles.

BOSS

Les filles! S'il-vous-plaît! Faites-moi pas répéter que le break est terminé, s'il-vous-plaît. J'aimerais pas ça.

Ange et Lune vont rejoindre les autres sondeurs.

3

Le chœur des sondeurs s'avance vers le public et chante.

Deux minutes avant la pause

Ô TOI, OREILLE SUBLIME!
LAISSE-MOI TE PARLER D'UN RÊVE QUI EST VENU TROUBLER MA NUIT.

NOUS ÉTIONS COMME NOUS LE SOMMES MAINTENANT.
MOI TE PARLANT, TOI M'ÉCOUTANT.
CHACUN À SON BOUT DU FIL TÉLÉPHONIQUE.
J'AVAIS LES MAINS SOUDÉES AU CLAVIER DE L'ORDINATEUR,
MA BOUCHE ET MES YEUX LISAIENT MACHINALEMENT
LES QUESTIONS D'UN SONDAGE INCONNU
QUE JE N'AVAIS JAMAIS LU NI ENTENDU.
TOUT ALLAIT BIEN.

À L'ÉCRAN DE L'ORDINATEUR
APPARAISSAIT UNE NOUVELLE QUESTION
À LAQUELLE TU T'EMPRESSAIS DE RÉPONDRE,
SANS JAMAIS FAIRE SENTIR LA MOINDRE TRACE DE LASSITUDE
DANS TON FILET DE VOIX NEUTRE ET FEUTRÉ.
TOUT ALLAIT BIEN.

NOUS AVONS PASSÉ COMME ÇA,
DIX MINUTES.
VINGT MINUTES.
UNE DEMI-HEURE.
UNE HEURE.
J'AURAIS VOULU M'ARRÊTER.
J'AURAIS VOULU M'ARRÊTER,
MAIS TOI TU RÉPONDAIS TOUJOURS,
TU NE CESSAIS DE MONTRER TON INTÉRÊT,
T'AVAIS LE SOURIRE DANS LA VOIX,
TU FLOTTAIS D'UNE QUESTION À L'AUTRE...

ET SOUDAIN JE RÉALISAIS LE PIÈGE QUE LES DIEUX M'AVAIENT TENDU!
CE SONDAGE EST ÉTERNEL!
JE COMPRENAIS QU'APRÈS CHAQUE RÉPONSE,
IL Y AURAIT UNE NOUVELLE QUESTION.
PUIS, TOUT AUTOUR DE MOI SE DÉCHIRA
POUR LAISSER PLACE À UN RIDEAU DE FLAMMES,
UN CIEL DE BRAISE.
JE FLOTTAIS AU MILIEU DE CE FEU ONIRIQUE,
SUR MON SIÈGE,
MES MAINS SOUDÉES AU CLAVIER,
LES YEUX RIVÉS À L'ÉCRAN QUI FORMULAIT UNE NOUVELLE QUESTION.
J'ÉTAIS EN ENFER.

AUCUN DOUTE POSSIBLE.
L'ENFER ÉTAIT EN MOI!
POSANT ÉTERNELLEMENT LES QUESTIONS STUPIDES
D'UN SONDAGE STUPIDE
À UNE VOIX STUPIDE
TROP STUPIDE POUR ME DEMANDER
D'ARRÊTER!

4

*Tous les sondeurs sont réunis devant Boss qui
semble se prendre pour une générale qui vérifie
l'habillement de ses soldats. Évidemment, nos
sondeurs ne sont pas aussi discipliné que des
soldats et ils pourront se faire entre eux quelques
commentaires inaudibles pendant la scène.*

BOSS
Monsieur Ratté est pas content. Pas content du tout. Pis quand
Monsieur Ratté est pas content de votre travail, la marde pogne en
haut, a tombe en bas, pis c'est sur ma tête à moi qu'a tombe. Ça fait
mal. Ça splashe pis ça revole. C'est juste normal qu'a vous splashe
aussi dessus. Je vous écoute. C'est pas un secret pour personne.
Pourtant vous seriez surpris d'entendre tout ce que j'entends quand
je vous écoute. Je suis pas contente. OUCH, tu veux-tu dire à tout le
monde qu'est-ce que tu fais quand le répondant te dis qu'y sait pas
quoi répondre à ta question?

OUCH
Je dis rien. Qu'est-ce tu veux que je dise?

BOSS
Tu dis rien. Le Monsieur te dit : «Je sais pas», pis toi, tout bonnement,
tu dis rien, t'acceptes cette réponse-là?

OUCH

Je rentre ça dans le code 99, c'est toute.

BOSS

Tu rentres ça dans le code 99. «C'est toute»! C'est bien.

OUCH

C'est ça le code pour les «NE SAIT PAS», non?

BOSS

«Êtes-vous satisfait, Monsieur?» «JE NE SAIS PAS»! On rentre ça dans le code «NE SAIT PAS», c'est toute? Me semble que ça m'aide pas ben ben à savoir ce qu'y pense, ça, non?

OUCH

Ben là, si y sait pas, y sait pas. Je sais pas pour toi, mais moi chus pas capable de tordre un bras au téléphone!

BOSS

Ça se peut pas, ça, pas savoir! Même quand on pense qu'on sait pas, on le sait! Même si j'ai jamais mis les pieds chez IGA, j'ai une opinion de comment c'est chez IGA. Même si j'ai jamais mangé un seul morceau de tarte aux pommes de la marque IGA, je pense que je sais comment ça goûte la tarte aux pommes de chez IGA! J'ai une OPINION! On se comprend-tu? Tout le monde a une OPINION sur toute! C'est comme ça que ça marche dans la vie! Je peux pas prendre de décision, si j'ai pas d'OPINION! Si je vais pas chez IGA, c'est parce que j'ai une OPINION de comment c'est chez IGA! Pis que dans mon OPINION probablement que j'aime pas ça.

OUCH

Ouin, mais si y a pas d'IGA dans mon boutte. Qu'est-ce qui se passe?

BOSS

Tu connais sûrement quelqu'un qui y va! T'as sûrement déjà vu les annonces de IGA. Y a du monde qui en parle de IGA. Pis dans ta tête, y a une idée qui se fait. Non?

OUCH

Je sais pas. Moi, dans ma tête, ça fonctionne plus par feeling, je pense.

BOSS

Ben ton feeling, c'est ça qu'en français on appelle l'OPINION.

OUCH

Je suis pas sûre que tu comprends de quel genre de feeling que je te parle.

BOSS

Je suis pas sûre que je veux comprendre, non plus, han? Ce qui est important, en ce moment, c'est que toi tu comprennes. Parce que je suis en train de t'expliquer quelque chose.

OUCH

Ben dis-moi ce que tu veux que je comprenne d'abord.

BOSS

Tu m'écoutes pas. Je suis pas contente. Je t'ai dit tantôt que je veux que tu comprennes que tout le monde, comme moi, a une OPINION sur toute. Pose-moi une question sur n'importe quoi! Demande-moi quelque chose que tu penses que je sais pas, pis tu vas voir, je vas te dire ce que j'en pense!

OUCH

OK. Qu'est-ce tu penses qui a après la mort?

Rire des autres sondeurs.

BOSS

Tu fais ta smatte. C'est correct. C'est drôle. J'ai de l'humour, moi aussi. Je suis capable de rire. Je rirais bien en ce moment, mais je rirai pas, parce que je suis pas contente. Et c'est difficile de rire pour moi quand je suis pas contente.

OUCH

Je te niaise pas. Je veux savoir. Qu'est-ce qui a après la mort? Dans ton feeling à toi.

BOSS

OK. Y a rien là. Je peux te dire que moi, dans ma tête à moi, y a une image précise de comment ça va se passer quand je vais être morte. Même si je le sais pas, même si je peux pas être certaine, j'ai mon OPINION. Par exemple, si je crois au Ciel pis à l'Enfer, je peux penser que c'est ça qui va arriver après ma mort.

OUCH

Pis ça ressemble à quoi le Ciel?

BOSS

Ben... Y a des anges. Des nuages. C'est bleu. C'est... C'est lumineux!

OUCH

Y a-tu de la musique?

BOSS

Oui, sûrement!

OUCH

Quel genre de musique?

78

BOSS

De l'opéra. Quelque chose comme ça!

OUCH

En quelle langue ça chante?

BOSS

Ben là, je le sais pas!

OUCH

T'as dit t'à l'heure que ça se pouvait pas de pas savoir!

> *Un léger vent d'hystérie collective commence à
> s'emparer des autres sondeurs.*

BOSS

Tu comprends ce que je veux dire! Je t'ai dit que je le sais pas, juste
parce que j'étais tannée de répondre à tes questions stupides, c'est
toute!

OUCH

Tu penses pas que les répondants y sont tannés de répondre à nos
questions stupides, des fois?

BOSS

Avec un sourire dans la voix, y a moyen de rendre ça agréable! C'est
sûr que si vous oubliez de mettre vos sourires dans vos voix quand
vous parlez au monde, y vont être bêtes avec vous!

OUCH

Pourquoi t'en mets pas toi de sourire dans ta voix?

BOSS

Moi, ma job, c'est pas de mettre un sourire dans ma voix. Ma job,
c'est de mettre un pied dans le derrière du monde qui écoute pas. Pis

si ça te tente de me provoquer, tu vas voir que mon coup de pied y peut être assez fort pour te mettre dehors pis te faire atterrir sur le B.S.! Pis c'est bon pour tout le monde ici!

> *On se calme. Boss, satisfaite d'avoir calmé ses troupes affiche un sourire triomphant. Mais Lune ose lever la main.*

LUNE
Excuse-moi.

BOSS
Quoi?

QUOI
Quoi?

BOSS
Non, non! Pas toi, Quoi! Je veux dire, c'est pas à toi, Quoi, que j'ai dit «quoi». C'est à Lune que j'ai dit «quoi»! OK?

QUOI
OK.

BOSS
Alors qu'est-ce qu'y a Lune? Qu'est-ce que tu voulais rajouter, hein?

LUNE
À quoi y sert, le code 99 si on peut pas s'en servir?

BOSS
C'est pour les cas d'exception.

LUNE

Pis c'est quoi pour toi une exception?

BOSS

C'est incroyable comme y faut tout, tout, tout, tout, tout vous dire! *(Après un long soupir.)* Ça pourrait être... Supposons que tu pognes un aveugle pis que tu lui demandes d'évaluer la couleur d'un emballage de chips. Là, c'est clair : y sait pas!

LUNE

OK, oui, mais peut-être que l'aveugle y a un ami qui voit, pis qu'y en a déjà parlé avec lui, de la couleur du sac de chips : donc, finalement, y pourrait en avoir une opinion, lui aussi.

BOSS

Ben oui, c'est sûr! C'est justement ce que j'explique depuis tantôt : tout le monde est capable d'avoir une opinion!

LUNE

Ben d'abord, ça répond pas à la question. À quoi y sert le code 99?

BOSS, *après un autre soupir d'exaspération*

Le code 99, tu vas pouvoir t'en servir pour euh... pour les aveugles qui ont pas d'amis.

LUNE, *regardant Boss droit dans les yeux*

Moi j'en connais rien qu'une aveugle qui a pas d'amis.

BOSS

Bon. Ben merci d'avoir partager ça avec nous. C'est bien gentil. Là vous allez retourner travailler, et j'espère que vous allez le faire avec plus de sérieux. OK? Merci!

Tous s'éloignent à l'écart. Ange va rejoindre Boss.

ANGE

Je m'excuse.

BOSS

Oui?

ANGE

C'est juste que je voulais te dire...

BOSS

Quoi?

ANGE

Ta vision du Ciel. C'est un peu cliché.

BOSS

Tu vas retourner travailler, s'il te plaît, OK?

*Ange se retire et passe lentement devant chacun de
ses collègues de travail. Ange chante.*

Un ange passe

UN ANGE PASSE.
UN ANGE PASSE.
PASSE EN SONGEANT
À TOUS CES GENS
QUI PASSENT.

QUAND L'ANGE PASSE, IL LE RESSENT:
L'EFFET DU TEMPS SUR LES PASSANTS.

Ne paressant pas : le pas pressant.
Ne caressant pas la pluie ni le vent.

Un ange passe.
Un ange passe.
Passe en songeant
À tous ces gens
Qui passent.

Il sent le temps qui les mélange.
Cancer, ce temps si oppressant
Qui ronge les os et qui les mangent.
Qui ronge par derrière et par devant.

Un ange passe.
Un ange passe.
Arrive l'ange léger qui soulage,
Car c'est le temps de l'aimer l'Ange.

Ange a passé.

5

On retrouve Love et Quoi, dans la toilette des hommes.

LOVE
Oupse! Je me suis trompée de toilette! Je m'excuse.

Elle ne bouge pas et le dévisage. Danse lascive entre Love et Quoi, sur la musique la chanson thème de Love. Shit est assis par terre. Il est rejoint par Ovni.

SHIT
Tu t'en vas-tu aux toilettes?

OVNI
Oui, pourquoi?

SHIT
À ta place j'attendrais.

OVNI
Qu'est-ce qu'y a?

SHIT
Y a un gars pis une fille qui sont en train de baiser.

OVNI
Ayoye!

Retour à Love et Quoi.

LOVE
C'est parce que depuis qu'on s'est parlé de faire l'amour aux toilettes, l'autre fois, j'arrive pus à me sortir ça de la tête. Je peux t'embrasser?

QUOI
Tu peux m'embrasser.

LOVE
C'est fou comme ça peut être fou le désir. J'étais pus capable de me concentrer.

QUOI
T'étais pus capable?

LOVE
Je pensais à toi. À nous deux. C'est comme si on était des rouges-gorges en cage, la centrale, tu trouves pas? On est toutes là, toute la gang. À piailler en même temps. Les yeux concentrés sur l'écran qui est comme une cage de vitre. J'étouffe.

Elle enlève son chandail. Il enlève son chandail.

LOVE
J'ai envie de toi!

QUOI
J'ai envie de toi!

LOVE
Toi aussi!

QUOI
Moi aussi!

LOVE
Embrasse-moi!

QUOI
Embrasse-moi!

Ils s'embrassent.

LOVE
Je pensais que tu viendrais pas pisser.

QUOI
Je venais pas pisser.

LOVE
Ah! Tu venais pour me...

QUOI
Je venais pour te...

LOVE
Tant mieux.

QUOI
Tant mieux.

LOVE
T'es beau.

QUOI
T'es beau. Euh, t'es belle!

6

Retour à Shit et Ovni. Shit sort un flacon de sa veste. Il boit.

OVNI
Qu'est-ce qui se passe?

SHIT
Je suis déprimé.

OVNI
Une fille?

SHIT
Même pas.

OVNI
T'as-tu des problèmes d'argent?

SHIT
C'est à cause d'une émission de tévé.

OVNI
Une émission de tévé? *(Ovni s'assoit à côté de lui.)* Ouin, ben, ça va pas ben!

Il offre une gorgée à Ovni.

SHIT

C'est un show américain, genre Claire Lamarche rock'n'roll. Le thème d'aujourd'hui, c'était *«Surprise, I have a secret sex life!»* Y avait un gars, un nègre aux cheveux jaunes, qui avouait à sa femme, en direct devant tout le monde, à tévé, qu'y avait déjà une blonde quand y s'est marié, pis qu'y continuait à baiser avec. *«Surprise, I have a secret sex life!»* Là, y ont fait rentrer la blonde du gars. Celle avec qui y baisait en cachette depuis qu'y était marié. Une méchante salope! T'sais une grosse cochonne! Les grosses se sentent toujours obligée d'être cochonnes, t'as pas remarqué?

OVNI

Je sais pas non. J'ai pas remarqué.

SHIT

J'ai déjà sorti avec une grosse – c'était une passe où j'avais pas une haute estime de moi-même – pis je peux te dire que c'est pas reposant, une grosse! On attendait l'autobus, assis sur le banc pis a me pognait la poche devant tout le monde.

OVNI

Ouin. C'est pas trop *«secret»* comme *«sex life»*!

SHIT

Maudit que c'était déprimant...

OVNI

J'imagine.

SHIT

La grosse cochonne de l'émission, a saute sur la femme du gars pis a lui sacre son poing dans la face... A lui donne des claques, a se met à

90

lui tirer les cheveux. Y se battent. En une fraction de seconde le stage est plein de monde, ça se pousse, ça essaye de séparer les deux filles qui se battent à côté du nègre aux cheveux jaunes qui bouge pas d'un poil. Un gars mou pis plate. Je comprends pas pourquoi qu'y se battent pour ça, c'est... Faut dire que les deux filles sont pas mieux. Deux veilleuses éteintes, genre. Là, le public dans le studio se lève pis applaudit. Ça crie : «Jerry! Jerry! Jerry!» C'est le nom de l'animateur. Pis là, ça se calme. Le monde se réinstalle dans leur chaise, comme si de rien était, pis comme si y savait pas que ça allait recommencer à se bûcher dessus dans trois minutes. Ça s'engueule encore. L'animateur demande au gars, laquelle des deux filles y aime le plus! Le gars, y sait pas trop. Les deux filles s'engueulent, se ressautent dessus, comme la première fois. Pis finalement, l'animateur dit que le gars a un autre secret qui va avouer. Là, *live, on the spot*! Comme de fait, je me rends compte qu'y reste une chaise vide à côté du gars. Là, j'ai eu un doute. Peut-être que toute ça, c'est arrangé. Mais même si c'est arrangé, je suis pas certain que c'est moins pire. Je sais pas si tu comprends. C'est tellement malsain, le feeling de tout ça. Le monde qui applaudit, la bataille, l'animateur qui sourit parce que le show est bon. Tu devineras pas ce qui est arrivé. Y a un autre nègre qui arrive sur le stage. Le gars est tapette, crisse! Le gars, y est marié, y a une maîtresse, pis y baise aussi avec un gars! Là, ça recommence à se battre! Pis les trois épais, qui viennent de découvrir qu'y sont avec un monstre, un tarla, un twitt, y continuent à se battre pis à s'engueuler comme du poisson pourri pour avoir ce nègre-là aux cheveux jaunes dans leur lit! «Y est à moi! Y est à moi!» Pas capables de se rendre compte que le gars c'est rien qu'un... *(Soupir.)* Ça m'a... Ça m'a juste «vidé», je pense.

7

Olyp se tient en équilibre sur la tête. Hapy est à côté et la regarde. Hapy chante

Chanson pour Charlie

J'AI-TU MIS ASSEZ D'BOUFFE?
FAUT PAS QUE CHARLIE SOUFFRE.
J'AURAIS DÛ CHANGER SON EAU,
LUI FAIRE PLUS DE FLATTES AU DOS.
ÇA PUE LA BOMBE DANS SA LITIÈRE,
COMME UN TROP VIEUX CAMEMBERT.
LE PAUVRE PERD PARTOUT SON POIL.
J'SAIS PAS SI ÇA LUI FAIT MAL.

TOUT SEUL.
RIEN À FAIRE.
SILENCE.
À QUOI TU PENSES?
EST-CE QU'Y A DES MOTS?
RÊVES-TU À DES OISEAUX
QUE T'ASSASSINES?

LA, LA, LA, LA, LA, LA, LA, LA, LA, LA, LA, LA.

La suite se passe au salon,
Tu repasses mon pantalon.
Tu fais des roulades.
Tu fais semblant d'être malade.
T'es un félin ben malin.
Ton poil flatte ma main.
Même si toi tu ronronnes,
J'ai la plus grande part du fun.

Tout seul.
Rien à faire.
Silence.
À quoi tu penses?
Moi même si l'monde est beau,
Je rêve à des costauds
Que j'assassine.

La, la, la, la, la, la, la, la, la, la, la, la.

Une chance que t'as pus tes griffes.
Une chance que j'ai pas de canif!

CHŒUR DES SONDEURS

Vous souvenez-vous avoir vu une publicité pour une marque de yo-gourt récemment?
Diriez-vous que vous avez vu cette publicité dans un grand quotidien?
Dans un hebdo de votre région?
Sur des panneaux publicitaires?
À la télévision?

HAPY, *à Olyp*

À quoi tu penses?

CHŒUR DES SONDEURS

Pourriez-vous me décrire brièvement la publicité de yogourt
Que vous avez vu récemment à la télévision?
Diriez-vous que cette publicité était très agréable à écouter?
Assez agréable?
Peu agréable?
Ou pas du tout agréable à écouter?

OLYP

Je pourrais offrir des arrangements floraux sur internet. Y a tellement
de monde qui se rencontrent sur l'internet, maintenant.

HAPY

Olyp, tu devrais pas revenir sur tes pieds, là? Ça fait déjà cinq minutes.

OLYP

C'est la position idéale pour réfléchir. J'ai lu ça dans une revue
américaine. Plus de sang dans ton cerveau, plus de d'activité, plus de
circulation d'idées.

HAPY

Oui, mais je pense qu'on est pas conçu pour se tenir comme ça, tu
penses pas?

OLYP

On est mal conçus, aussi. Pourquoi tu penses qu'on se sert juste de
25% des capacités de notre cerveau?

*Olyp se laisse retomber par terre. Elle se prend une
cigarette qu'elle porte à sa bouche, sans l'allumer.*

OLYP

J'ai peur de m'apercevoir que mon système de fleurs à l'écran, ça se
peut pas, pis que j'aurais suivi des cours d'informatique pour rien.
Dans le fond, y faudrait que j'en parle à quelqu'un qui connaît ça

l'informatique, mais en même temps, je voudrais pas me faire voler mon idée, tu comprends?

HAPY
C'est compliqué.

OLYP
On essaye-tu de trouver une solution?

HAPY
On peut essayer.

Elle range sa cigarette dans son paquet et se remet en équilibre sur la tête.

OLYP
Mets-toi sur la tête!

Il obéit.

OLYP
Je connais pas tellement ça, l'informatique. Ça me prendrait un cours.

HAPY
Pour apprendre l'informatique, y a rien de mieux qu'un cours.

8

Fin de l'ambiance de sondage. Retour à Shit et Ovni. Quoi passe devant les gars.

OVNI
Ah ben, tabarnak! C'est le petit nouveau qui baisait dans les toilettes! Y pogne en maudit le petit maudit. L'autre soir y était en train de cruiser Love, mais ç'a pas marché fort.

Love passe. Ovni est sous le choc.

LOVE
Qu'est-ce vous faites-là, les gars?

OVNI
Euh...

SHIT
On déprime ensemble.

LOVE
C'est pas bien de boire sur la job!

Elle sort en riant, toute légère. Ovni chante.

Revenir

QUAND 'EST PAS LÀ,
JE L'OUBLIE.
PIS QUAND 'EST LÀ,
J'ESSAIE D'OUBLIER
QUE JE L'AI OUBLIÉE.

SHIT
Ça va-tu, vieux?

OVNI
Comment tu disais ça? «Ça m'a vidé»?

9

Nous sommes à l'appartement de Drak.

DRAK
Parle-moi de ton côté obscur.

STAR
Mon côté obscur?

DRAK
Tout le monde a des tentations. Des désirs inavouables.

STAR
Ah! OK, oui! J'ai le goût de manger une grosse poutine, des fois. En plein milieu de la nuit, j'ai le goût de me lever pis d'aller manger une poutine.

DRAK
Y a pas des pulsions plus... plus primaires qui sont en toi? Quand tu prends le métro, t'as pas envie de pousser quelqu'un devant les wagons?

STAR
J'ai mon auto. C'est mon père qui me l'a achetée.

DRAK
Écraser un cycliste? T'as sûrement déjà eu l'image dans ta tête.

STAR

Peut-être. Je m'en souviens pas trop, là.

DRAK

Connais-tu la loi du chaos?

STAR

Euh... Non. C'est nouveau?

DRAK

Y faut que tu me dévoiles ton monde chaotique pour que je puisse t'aider à découvrir ton potentiel créateur. Tu vois, pour bien jouer le rôle d'un assassin, ou pour bien l'écrire, y faut avoir tué quelqu'un déjà.

STAR

Ben, là... Je pense que je serais meilleure dans le rôle d'une comptable que dans le rôle d'une meurtrière.

DRAK

Je veux t'aider à aller plus loin.

STAR

C'est pas nécessaire d'aller trop loin.

DRAK

Une comptable qui commet un meurtre. Ça pourrait être bien, non?

STAR

Je suis pas certaine que ça peut faire vendre beaucoup de Big Mac.

DRAK

C'est pour mon roman. Le personnage, à partir de toi. Le roman noir, tu te souviens?

STAR

C'est pas vraiment à partir de moi. Moi je suis pas une meurtrière. Faut dire que je suis pas une comptable, non plus, mais...

DRAK

Je veux qu'on explore un côté de toi que toi-même tu connais pas. T'as sûrement déjà eu envie de tuer quelqu'un.

STAR

C'est sûr que j'ai déjà eu envie de tuer quelqu'un. Ma mère, par exemple. C'est sûr que je l'aurais tuée plusieurs fois. J'ai même déjà fait tomber un piano sur elle, dans un rêve.

DRAK

C'est bon. On va faire l'exercice ensemble. Tu vas imaginer que tu tues ta mère.

STAR

Ben, je te dis que je l'ai déjà tuée, dans ma tête.

DRAK

OK. Ben on va aller plus loin d'abord!

> *Drak revient avec une boîte et un couteau de cuisine. Il remet le couteau à Star et sort une poupée gonflable de la boîte. Il gonfle la poupée.*

STAR

Qu'est-ce que c'est?

DRAK

Une poupée gonflable.

STAR
Pourquoi faire?

DRAK
Ça va être ta mère.

STAR
Ah, OK.

DRAK
Qu'est-ce qu'y a?

STAR
C'est un peu insultant. A l'a l'air d'une pute!

DRAK
C'est bon ça. Ta mère est devenue une putain sur la rue Sainte-Catherine. C'est pour ça que tu veux la tuer. Ça va être ta motivation.

STAR
Je la tue avec ça?

DRAK
Oui.

STAR
Ben, là, je suis pas pour la faire crever! Ça doit coûter cher un truc comme ça!

DRAK
C'est pas grave. J'en ai faite le tour pas mal. C'est devenu banal.

STAR
Écoute. Je sais pas si c'est correct.

DRAK

On explore ton côté obscur. T'as pas à te demander si c'est correct ou non.

STAR

T'as déjà fait l'amour avec?

DRAK

La première fois, c'est très excitant. J'ai l'impression que Neil Armstrong, quand y a marché sur la lune, y a dû ressentir à peu près la même excitation.

STAR

Je suis pas sûre de comprendre. Y avait des poupées gonflables dans leur fusée?

DRAK

C'était une métaphore. Dépasser une frontière. Aller à un endroit où l'homme est pas censé aller normalement.

STAR

Ça me fait bizarre de te voir avec ça. Je pensais que c'était pour les vieux... ou les laids.

DRAK

Y a une pureté dans la pornographie. C'est le sexe pour le sexe : c'est tout. Pis ça, tout le monde l'a vécu personnellement. Y en a qui se contentent de mettre le pied sur le premier barreau de l'échelle, seulement. Une petite masturbation. Pis d'autres, comme moi, qui vont jusqu'au bout. Tu vois, je pense qu'on est sur la terre pour explorer. Expérimenter. À chaque époque, y a des nouvelles frontières morales à franchir. À chaque fois qu'on franchit une nouvelle frontière, on admet l'inexistence de Dieu, pis on se rapproche de la vérité. De l'absurdité de la vérité. Tu vois, je pense pas que c'est plus difficile de baiser avec une poupée en plastique tout seul chez toi, que de faire un sondage téléphonique qui vise à savoir de combien une compagnie peut augmenter le prix de son produit sans que les ventes soient affectées, pour mieux fourrer son client.

STAR
C'est spécial comment tu vois les affaires.

DRAK
Ça fait qu'on la tue, ta mère?

STAR
Je veux bien la tuer, mais là... 'Est toute nue. Je pense pas que je la tuerais si a l'était toute nue devant moi.

DRAK
Attends. On va l'habiller.

Il sort et revient en vitesse avec une robe.

STAR
T'as des vêtements de femme? Je pensais que tu restais tout seul.

DRAK
Quoi de plus agréable que de déshabiller une femme avant de lui faire l'amour?

Il aide la poupée à enfiler la robe.

STAR
Ben là, je vas déchirer la robe en plus de ta poupée.

DRAK

C'est pas grave. Le matériel est pas important. L'important, c'est ce qu'on va vivre. *(Il installe la poupée sur un fauteuil.)* OK, on commence. Dis-lui pourquoi tu vas la tuer. Censure-toi pas.

STAR

Maman. Salut Maman. C'est moi, ta fille. Je veux te tuer.

DRAK

Trouve la raison.

STAR

T'as jamais voulu que je... Je te déteste. Tu voulais pas que je devienne comptable! Tu m'as toujours... empêché de... Pourquoi tu voulais pas que je mange des Big Mac? Pourquoi t'es jamais venue avec moi, manger des Big Mac?

DRAK, *soudainement hors de lui*

Crisse! C'est pas une annonce de McDo que je te demande de faire! T'es pas capable de te sortir ça de la tête, tabarnak! T'es dans mon roman! Mon roman! C'est-tu clair! Y est pas question que je parle de McDo dans mon roman!

STAR, *à son tour prise d'un élan de rage*

Tiens ta maudite poupée à marde!

Elle poignarde la poupée à plusieurs reprises. Elle a perdu le contrôle. La poupée se dégonfle et meurt. Quand la poupée est morte, Star est prise d'un fou rire. Drak va la rejoindre sur le divan.

DRAK

Qu'est-ce qu'y a?

STAR

C'est con. Je pensais, quand tu m'as invitée chez toi, que c'était parce que tu voulais faire l'amour avec moi. J'aurais jamais pensé que j'allais poignarder une poupée gonflable!

DRAK

Tu pensais qu'on allait faire l'amour?

STAR

Oui.

DRAK

As-tu imaginé comment ça se passerait?

10

Shit est seul dans son salon. Musique. Il chante.
Shit chante.

Mignon

MIGNON.
JE SUIS MIGNON.
JE SUIS SI MIGNON.
JE SUIS SIX MILLIONS
DANS MON SALON.
ON EST SIX MILLIONS
AVEC MA GUEULE DE CON!

JE ME MULTIPLIE.
NUL PETIT ET PLIÉ.
MULTIPLE MOI PLIÉ.
EN DEUX SOUS LA TABLE.
UNE DANSE DE MORT À UNE PIASTRE.
JE SUIS UN MAUVAIS STRIPTEASER:
JE LÂCHE JAMAIS MES MORCEAUX.

Ouch et Ovni apparaissent. La musique continue.

SHIT
Dans le fond, la guerre ça existe peut-être pas.

OUCH

Comment ça, ça existe pas?

SHIT

Y en a qui disent que si un arbre tombe dans la forêt, mais que personne le voit, ben, on peut pas dire qu'y est tombé.

OUCH

Ben là, on la voit, la guerre; ça passe aux nouvelles!

SHIT

Nous on voit pas la guerre. On voit juste une émission qui parle de la guerre. La seule chose qu'on peut dire, c'est qu'y a des émissions qui parlent de la guerre.

OVNI

Oui, mais si y a des émissions qui parlent de la guerre, c'est parce qu'elle existe.

SHIT

Y a des émissions qui parlent des extra-terrestres. Est-ce que ça veut dire que ça existe aussi?

OUCH

Y parlent pas des extra-terrestres aux nouvelles! C'est pas la même affaire!

OVNI

Moi, je me dis que les extra-terrestres existent. C'est certain. L'Univers est tellement grand. Ça se peut pas qu'y ait pas de vie ailleurs dans l'Univers.

SHIT

Ce que je veux dire, c'est que pour nous autres, la guerre existe pas. A l'existe pour ceux qui sont dedans, mais pour nous autres, a l'existe juste dans notre tête.   C'est rien qu'une idée abstraite.   Une conception de l'esprit!

OUCH

Ouin pis?

OUCH et OVNI

Où est-ce que tu veux en venir?

SHIT

Nulle part. Je veux pas en venir à quelque chose. Je dis ça de même, c'est toute.

Shit continue sa chanson.

JE ME FAIS SOURIRE:
JE SUIS UN SOUS-HUMAIN.
D'UN RIRE SOURD SOUTERRAIN.
MOINS HUMAIN QU'UNE SOURIS.
UN RAT SANS LABORATOIRE.
J'ÉLABORE MA SURVIE
DANS UNE JOUTE ORATOIRE.
C'EST MOI QUI DÉFINIT
LA FORME DE LA PATINOIRE.

QUAND J'AI ENVIE DE RIRE,
ÇA MA REND UN PEU TRISTE.
MAIS SI JE M'ATTRISTE,
OU SI JE SUIS EN CRISSE,
JE FINIS PAR TROUVER ÇA DRÔLE,
MAIS... MAIS JE SOURIS.
JE VAIS JAMAIS PLUS LOIN.
MA BOUCHE VEUT PAS SE FENDRE

Ou se tendre en grimace.
Je veux de ma face
Faire un beau portrait.

Mignon.
Je suis mignon.
Je suis si mignon.
Je suis six millions.
Dans mon salon,
On est six millions
Avec ma gueule de con!

Ah! Combien je donnerais
Pour une peine d'amour
Qui dure plus qu'un jour!
Pour un rire épais
Que tout le monde reconnaît!
Pour une tape dans le dos
Ou pour quelques gros mots.
Ou être assez naïf
Pour croire que Dieu existe.
Avoir le goût de mourir,
Mais être mort de peur,
Craindre un terrible accident
En prenant un couteau à beurre.
Chier dans mes culottes!
Bander pour une plotte!
Seulement sentir
Une émotion un désir.
Sentir l'incontrôlable.
Sortir de mon lab.
Sortir mes démons.
Me délabyrinther!

110

JE SUIS UN PRINCE SANS RIRE
QUI ENVIE LES MARTYRS.
JE ME MOQUE SANS JAMAIS RIRE.
JE SOUFFRE DE JAMAIS SOUFFRIR.
JE SUIS MIGNON.

ENTRACTE

TROISIÈME MOUVEMENT

1

Le chœur des sondeurs entame le sondage qui suit.

CHŒUR DES SONDEURS
J'aimerais savoir si vous êtes
Tout à fait en accord, plutôt en accord, peu d'accord ou en total désaccord
Avec chacun des énoncés suivants:
Le Canada devrait manifester publiquement son soutien
En ce qui concerne les récentes actions militaires des États-Unis.
Dans l'éventualité d'un déclenchement d'un conflit armé
Entre les États-Unis et un autre ou d'autres pays,
Le Canada devrait se joindre aux États-Unis
Et participer activement à ce conflit
Pour préserver les valeurs de liberté qui sont mises de l'avant
Par les politiques nord-américaines.
Le principe de liberté de pensée et d'expression
Est un principe d'une importance primordiale qui vaut la peine d'être défendu.
Dans l'éventualité d'un conflit armé majeur,
Tous les canadiens jugés aptes à contribuer de manière directe
À la résolution de ce conflit devraient accepter de s'impliquer
Et de fournir l'effort nécessaire
Si le gouvernement canadien juge que cette participation

Permet la sauvegarde des principes de liberté qui sont chers à tous les citoyens canadiens.

Lune chante.

Troisième ciel

LE CIEL GRIS
EST TOUT PRIS.
ET LE JOUR
SOUS LES NUAGES LOURDS
ÉTOUFFE MON CRI.

LE CIEL TONNE,
IL PLAFONNE.
LA TÊTE BASSE
AU FOND DE MA TASSE;
LE CIEL TONNE.

Lune et Ange sont face à un grand miroir et elles regardent intensément leur propre reflet.

LUNE
Est-ce que tu la vois?

ANGE
Pas encore.

LUNE
La mienne est arrivée.

ANGE
Peut-être que j'en ai pas, moi, de sœur jumelle...

114

LUNE

Essaye encore.

ANGE

Ça sert à rien. J'arrive pas à me concentrer.

LUNE

Qu'est-ce qu'y a?

ANGE

Je pense que Dieu m'a parlé, hier.

LUNE

Ah oui?

ANGE

Oui...

LUNE

Qu'est-ce qu'Y t'a dit?

ANGE

Je suis pas certaine de ce que ça voulait dire... Y m'a envoyé une image.

LUNE

Une image?

ANGE

J'ai vu une cycliste se faire frapper par une auto. J'ai été témoin de ça. Je suis certaine que c'était Lui qui essayait de me faire comprendre quelque chose. Parce que ç'a m'a marquée pis, je sais pas si tu le sais, mais que tout ce qui te marque est une révélation de Dieu!

LUNE
Qu'est-ce que Dieu voulait te révéler, tu penses?

ANGE
Je sais pas, mais depuis hier, j'entends le bruit des freins dans ma tête. C'est bizarre, ce que j'entends, c'est seulement les freins de la bicyclette. Pourtant, y me semble que l'auto aussi a freiné. Peut-être que c'est un signe.

LUNE
Un signe de quoi?

ANGE
Attends. Je vais essayer de décoder. L'auto est plus grosse que la bicyclette. Le gros qui fauche le petit. Volontairement. Sans freiner. La vitesse est dangereuse... C'est peut-être un signe de danger. Du danger qui nous guette. L'homme n'a qu'à peser sur la pédale pour s'élancer dans le vide... Une petite pression du pied pis la voiture s'élance. La facilité de la vitesse! La vitesse de la facilité... L'ivresse de la vitesse! C'est dangereux de vouloir aller trop vite, sans faire d'efforts. La combustion! La pollution! La fumée grise qui s'échappe de l'auto! Le moteur qui chauffe! C'est chaud! Le réchauffement de la planète, peut-être... Le sang qui coule, comme une fleur géante couchée sur l'asphalte... Le sang qui coule... Le SIDA? Je sais pas!

LUNE
Y t'en dit beaucoup de choses, je trouve, ton bon Dieu.

ANGE
Dieu a beaucoup de choses à dire! Pis appelle-le pas MON bon Dieu. C'est pas MON bon Dieu! C'est le bon Dieu à tout le monde!

LUNE
J'ai l'impression que tu l'écoutes pas bien. Que ce qu'y a à te dire est plus simple que ça.

116

ANGE

Qu'est-ce tu veux dire?

LUNE

Tu focusses trop sur les images.

ANGE

Ben là! Dieu a choisi de me parler en images. J'ai pas le choix, y faut que je focusse sur les images!

LUNE

Je pense que la réponse est dans l'Invisible.

ANGE

Si la réponse est invisible pourquoi y m'a envoyé des images que je peux voir, hein?

LUNE

Pour que tu regardes derrière. À l'intérieur de toi.

ANGE

Tu penses?

LUNE

Peut-être que je suis une révélation de Dieu, moi aussi.

ANGE

Qu'est-ce tu veux dire?

LUNE

Si la fille à bicyclette que l'auto a écrasée était une révélation sans le savoir, peut-être que moi aussi, en te parlant, je sers à te révéler quelque chose...

ANGE

Ayoye! C'est bon ça! On est sur une piste!

LUNE

Je pense que oui! Moi, tu vois, j'ai l'impression que tout est organisé par une loi cosmique qu'on connaît pas. Pis que c'est pour ça que, comme tu dis, on sert à se faire des révélations les uns aux autres.

ANGE

C'est sûr que c'est Dieu qui parle à travers nous!

LUNE

Je sais pas si son nom c'est Dieu, mais y a une force cosmique qui donne un mouvement à l'univers! Pis c'est ce mouvement-là qui nous fait bouger.

ANGE

Oui, c'est Lui! La force dont tu parles, c'est Lui. C'est Dieu!

LUNE

Si c'est Dieu, y a rien à voir avec ce que les humains pensent qu'Y est!

ANGE

C'est certain, Lune. C'est certain!

2

Hapy regarde Olyp qui se remplit un grand verre de jus jusqu'au bord.

HAPY

My God! Tu remplis ça, un verre!

OLYP

Regarde-moi bien.

Elle cale son verre.

HAPY

Moi, quand je bois, je remplis pas mon verre autant que toi. C'est toujours choquant quand y reste du jus dans ton verre. Moi ça me choque de jeter le restant dans l'évier. Tu vas me dire que je pourrais le mettre au frigidaire, mais je sais pas pourquoi, moi ça me...

OLYP

T'as vu?

HAPY

Oui. T'avais soif.

OLYP

J'ai tout bu d'un trait.

Elle se verse un autre verre.

HAPY
T'en prends un autre?

OLYP
C'est un défi que je me suis donné. Ça prend de la détermination pour réussir. Tu sais, l'état normal d'un corps c'est au repos. Ça fait que si tu veux bouger, ça prend de la détermination.

HAPY
Oui, ben, t'as vraiment soif.

OLYP
Regarde-moi bien.

Elle boit.

HAPY
Quand j'étais à Drummondville, on faisait ça mais avec de la bière. Avec une chanson, aussi. Tu dois la connaître : «Il est des nôtres, il a bu son verre... comme les autres.»

OLYP
Deux de suite. Pas pire, hein?

HAPY
Une chance que c'est pas de la bière.

OLYP
Je peux en faire plusieurs comme ça. Entre cinq et dix. *(Elle s'en verse un autre verre.)* Après, j'essaye de pas aller aux toilettes. Tu sais, la vessie, c'est le mental qui contrôle ça.

Elle se met à boire.

HAPY
T'es certaine que c'est pas dangereux? *(Prenant le contenant de jus.)*
Je sais pas si y a beaucoup de sucre dans ça?

Olyp s'étouffe.

HAPY
Ça va? Excuse-moi, je... Ça va-tu?

OLYP
Ça va aller. C'est des choses qui arrivent. Je me suis juste laissé défocusser. J'aurais pas dû t'écouter.

HAPY
Ben non, t'aurais pas dû.

OLYP
Je me suis pensé plus forte que j'étais.

HAPY
Je m'excuse, j'aurais pas dû te parler pendant que tu...

OLYP
Faut que je fasse attention à ça.

Elle se prend une cigarette.

HAPY
C'est ben impressionnant ce que tu fais avec ton jus. Bravo, hein?

OLYP
Je fais pas ça pour impressionner le monde. Je suis pas comme ça.
T'sais, je sais pas si tu te souviens de l'émission «Relever le Défi».

HAPY

Oui, oui.

OLYP

Moi j'aurais jamais été faire mon épreuve de jus à la télé. C'est pour moi que je le fais. Pas pour les autres.

HAPY

C'est mieux de même. Tu les allumes jamais tes cigarettes?

OLYP

J'ai arrêté de fumer.

HAPY

Oui : c'est vrai. J'avais oublié!

OLYP

C'est dans tous les détails de la vie qu'y faut être focussée. Avoir de la détermination. Tu vois, j'avais une chaise berçante avant, pis ça me tuait. Je me berçais le matin, avant d'aller étudier pis je passais toute la journée dans le flou.

HAPY

OK.

OLYP

Arrêter de fumer c'est assez facile, mais se mettre une cigarette dans la bouche, quand t'as arrêté de fumer, c'est un bon test pour la détermination.

Elle range sa cigarette dans son paquet. Léger temps. Musique. Olyp chante.

La bonne à tout faire

Je suis tellement bonne à tout faire,
Je pourrais être ma propre secrétaire.
Je déplace tellement tellement tellement d'air
Que des fois j'oublie de le respirer.
Me concentrer sur mes narines.
Remettre c'que font mes mains à demain.
Je fais une overdose de spiruline.
Dans mon cerveau ça spinne trop bien.

Je suis une femme d'affaires sans sa business.
Je suis un suicidaire sans précipice.
Un parti au pouvoir sans ses ministres.
Je suis Love me tender sans Elvis.
Je me demande même si j'existe.

On peut pas faire d'omelettes sans casser des œufs.
On devient pas boxeur sans casser des gueules.
Dites-moi où sont les œufs pis les gueules que je peux casser?
Pour avancer...

Dans mon cerveau y a un génie.
Mais mon génie est un peu gêné.
Les idées trouvent jamais la sortie,
Même quand ma tête je l'ai frottée (toute la nuit)!
Je pense que ma tête génère
Trop d'éclairs, trop de lumières.
C'est une activité volcanique
Qui m'empêche d'être méthodique.

Je suis une femme d'affaires sans sa buisiness.
Un chef culinaire sans ses épices.

JE SUIS UN PERVERS SANS ORIFICE.
JE SUIS DIEU LE PÈRE SANS SON FILS.
JE ME DEMANDE MÊME SI J'EXISTE.

ON PEUT PAS FAIRE D'OMELETTES SANS CASSER DES ŒUFS.
ON DEVIENT PAS BOXEUR SANS CASSER DES GUEULES.
DITES-MOI OÙ SONT LES ŒUFS PIS LES GUEULES QUE JE PEUX CASSER?
POUR AVANCER...

> *La musique. continue. Hapy s'approche de Olyp*
> *et l'embrasse sur la bouche. Après quelques*
> *secondes, il s'arrête.*

HAPY
Ça va-tu?

OLYP
Oui, je pense que oui.

HAPY
T'es certaine?

OLYP
Ben. Pourquoi t'as fait ça?

HAPY
Je sais pas, je... Je comprends pas trop c'est quoi notre... notre
relation. Je pensais que... Je pensais que peut-être tu voulais qu'on
s'embrasse. On est souvent ensemble, je me disais que peut-être que
fallait que je...

OLYP
J'attendais pas vraiment rien de...

HAPY

Ah, OK.

OLYP

Est-ce que j'ai fait quelque chose qui pouvait te laisser penser que...

HAPY

Non, non. Je... Je sais pas pourquoi j'ai fait ça. Dans le fond, y a rien qui me poussait vraiment à le faire. J'ai juste... Je pensais que ça rendrait notre rapport plus clair. On est pas obligé de le refaire. Si tu... Si t'aimes mieux pas.

OLYP

Ben, on verra, hein?

HAPY

Ouin, c'est ça.

OLYP

Veux-tu essayer un verre de jus?

HAPY

Oui. Oui, j'aimerais ça, oui!

Elle lui verse un verre.

3

Ovni rejoint Love.

OVNI
Je pensais que les toilettes c'était à nous deux.

LOVE
Qu'est-ce tu veux dire?

OVNI
Baiser dans les toilettes...

LOVE
Oui?

OVNI
C'est rendu que tu fais ça avec n'importe qui?

LOVE
Tu veux qu'on aille baiser aux toilettes?

OVNI
Ben non, c'est juste que...

LOVE
Parce que si ça te tente, ça me dérange pas d'y aller avec toi.

OVNI
Tu le sais ben que c'est pas ça.

LOVE
T'es sûr que ça te tente pas?

OVNI
Crisse, Love.

LOVE
Bon ben, j'ai trouvé quelqu'un d'autre.

OVNI
Je pensais que c'était spécial pour toi, nous deux.

LOVE
Oui. C'est ben spécial, toi pis moi. *(Sarcastique.)* T'arrêtes pas de me dire que tu m'aimes, mais que t'aimes aussi ta blonde. Pis que vu que t'es déjà avec ta blonde, t'es aussi ben de rester avec elle... C'est spécial, t'as raison!

OVNI
Tu le sais que c'est plus compliqué que ça!

LOVE
Sincèrement, je vois difficilement comment ça pourrait être plus compliqué.

OVNI
J'arrête pas de penser à toi. Ça m'écœure au boutte.

LOVE
Ben merci!

OVNI
C'est pas ça que je veux dire, tu le sais ben!

LOVE
Qu'est-ce tu veux dire, d'abord?

Léger temps.

OVNI
Hier, quand on s'est couché, on s'est donné un p'tit bec sur les lèvres. Un bec pas de langue. Ça arrive de plus en plus souvent, on dirait. J'ai fermé la lumière. Je me suis collé contre elle, en cuillère, pis j'ai commencé à penser à toi. Je l'ai caressée. Partout. Pis je l'ai embrassée. Pis je pensais de plus en plus à toi. Pis j'arrivais de plus en plus à me croire. J'avais l'impression que si j'avais rallumé la lampe, ben, c'est toi qui aurait été là... Je t'ai fait l'amour. C'était ben intense, comme d'habitude. *(Il sourit.)* Quand ç'a été fini, a s'est mise à pleurer dans mes bras. Ça m'a fait ben étrange. C'était comme si c'était toi qui pleurait... J'ai flatté ses cheveux, pis je me suis senti ben bizarre. Je savais pus si c'était elle ou toi que je consolais. Ou ben moi-même...

LOVE
Ben cou'donc, c'est pratique ton affaire! T'arrives à faire l'amour avec elle pis moi en même temps!

OVNI
C'est pas drôle, Love.

LOVE
Je ris pas, non plus.

OVNI
Je sais pus quoi penser.

LOVE
C'est pas très nouveau, ça.

OVNI
Je m'excuse.

LOVE
En tous cas, si jamais tu veux essayer l'expérience inverse... fais-moi signe.

OVNI
L'expérience inverse?

LOVE
Baiser avec moi en pensant à ta blonde.

OVNI
Love...

LOVE
Je t'informe que je vais aller faire un tour aux à trois heures et quart.

4

On retrouve Lune et Ange.

LUNE

Ferme les yeux. Je vais essayer de te révéler quelque chose. *(Ange ferme les yeux, Lune lui prend la main.)* Concentre-toi sur ton centre. Comprime ton âme pour qu'a se tienne en boule au milieu de toi. Ça y est?

ANGE

Ça y est.

LUNE

Maintenant tu vas me suivre. On est dans un corridor. Y a trois portes devant toi. Choisis-en une.

ANGE

La porte du centre.

LUNE

Avance vers elle. Essaye de l'ouvrir. *(Ange tend la main dans le vide.)* Tourne la poignée. *(Ange tourne une poignée invisible.)* Entre. Tu vois la rue de l'accident. T'es au carrefour où s'est produit l'accident. Tu vois la cycliste. Sur sa bicyclette. A roule, lentement. A sourit. C'est avant l'accident...

ANGE

Avant l'accident? Ben là, y faut faire quelque chose!

LUNE

Qu'est-ce que tu peux faire?

ANGE

Je sais pas...

LUNE

L'auto arrive. Qu'est-ce que tu peux faire?

Ange lâche un long cri, puis tombe par terre.

LUNE

Trop tard?

ANGE

Trop tard...

LUNE

Peux-tu aider la fille?

ANGE

Y est trop tard. L'auto l'a frappée!

LUNE

T'es certaine que tu peux rien faire pour l'aider? Approche-toi.

ANGE

Sa tête saigne. Sa tête saigne sur l'asphalte. Sa tête est fendue.

LUNE

Touche-la.

ANGE

Ah! Mon Dieu!

LUNE

Tu vois Dieu?

ANGE

Non, non! La fille par terre, qui perd son sang. Je la connais.

LUNE

C'est qui?

ANGE

C'est... C'est Boss...

LUNE

Peux-tu faire quelque chose pour elle?

ANGE

Je sais pas, je... Attends.

LUNE

Quoi? Qu'est-ce qu'y a?

ANGE

La portière de l'auto s'est ouverte...

LUNE

Et puis?

ANGE

Je vois les souliers du chauffeur. C'est une femme! C'est des souliers de femme... qui s'approchent lentement...

LUNE

Lève la tête. Peux-tu voir son visage?

ANGE

C'est difficile! J'ai le soleil dans les yeux...

LUNE

Regarde bien.

> *Prise de panique, Ange ouvre les yeux et se lève soudainement.*

LUNE

Qu'est-ce qu'y a?

ANGE

Pourquoi tu m'as fait voir ça?

LUNE

Qu'est-ce que je t'ai fait voir?

ANGE

La chauffeure, c'était toi. C'était toi, Lune.

LUNE

Franchement, Ange! J'ai aucune raison de vouloir tuer Boss. Ça peut pas être une révélation, ça! Si j'avais envie de tuer Boss, je serais au courant, me semble. Si je voulais vraiment l'écraser, je serais pas ici avec toi. Je serais, je sais pas, en train de m'acheter une auto...

ANGE

Qu'est-ce que ça veut dire? Pourquoi c'était toi?

134

LUNE

C'était peut-être ma sœur. C'est sûrement ma sœur que t'as vue.

ANGE

Tu penses que ta sœur jumelle veut tuer Boss?

LUNE

Ben. Peut-être que Boss a aussi une sœur jumelle. Peut-être que dans une autre dimension, ma sœur jumelle a envie de tuer la sœur jumelle de Boss...

ANGE

Ah! Oui, ç'a de l'allure, ça.

LUNE

Ça se peut, hein?

ANGE

Ouin... Je me demande juste pourquoi Dieu voulait qu'on soit au courant.

5

Le chœur des sondeurs se rassemble autour de Ouch. Une des comédiennes enfile un masque pour interpréter le rôle de la Dame esseulée. Boss, un peu à l'écart, observe la situation.

CHŒUR DES SONDEURS, *scandé très rapidement*
Excuse-moi mais t'appelles
À un mauvais,
À un mauvais,
À un mauvais moment :
Mon souper va brûler,
J'attends mon amant,
J'écoute la télé,
Je me fais cuire un œuf,
Le taxi m'attend,
Je suis en plein soixante-neuf,
Je rédige mon testament,
Je vais manquer l'autobus,
Je m'en vais chez le médecin,
Mon pitou a des puces!
Excuse-moi mais t'appelles vraiment
À un mauvais moment!

OUCH
Bonjour. Nous faisons présentement une étude d'intérêt général.

DAME ESSEULÉE

S'cuse-moi. T'appelles à un mauvais moment. Je me sens pas très bien.

LE CHŒUR DES SONDEURS, *scandé de façon très rapide*

Excuse-moi mais t'appelles
À un moment,
À un moment,
À un moment inopportun,
Je rédige mon testament,
Mon bain va déborder,
Mon mari vient de mourir,
Je vais manquer mon avion,
Je vais m'évanouïr,
Là ça sonne à la porte,
J'attends un autre appel,
C'est contre ma religion,
Faut que je sorte les poubelles,
Excuse-moi mais rapelle
À un moment,
À un moment,
À un moment plus opportun!

OUCH

Préférez-vous que je rappelle?

DAME ESSEULÉE

Ben. C'est sur quoi ton sondage?

OUCH

C'est sur des sortes de biscuits.

DAME ESSEULÉE

Des sortes de biscuits?

CHŒUR DES SONDEURS

Excuse-moi mais t'appelles
À un mauvais,
À un mauvais,
À un mauvais moment!
Chus pas intéressant,
Pas assez intelligent,
Je lavais mon plancher,
Je recevais des gens,
Mon enfant va brailler,
Je suis une personne âgée,
J'essayais de dormir,
Chus ben trop enragée,
C'est malheureux pour toi,
Mais je vais raccrocher!

OUCH

C'est pas très long. Peut-être que je peux vous appeler plus tard? La semaine prochaine?

DAME ESSEULÉE

Ben, écoute. Chus pas certaine que la semaine prochaine ça va aller mieux.

OUCH

Si vous aimez mieux pas le faire le sondage, ça se peut. Vous avez juste à me dire que vous refusez pis je vas mettre ça dans mon code de refus.

DAME ESSEULÉE

T'es ben fine.

OUCH

C'est correct.

DAME ESSEULÉE

Je vas répondre à ton sondage.

OUCH

Ah oui. Mais je pensais que...

DAME ESSEULÉE

Vu que t'es fine.

OUCH

OK. Merci. Ben, euh, je commence : «Quelle sorte de biscuits mangez-vous le plus souvent?»

DAME ESSEULÉE

Ah! Mon Dieu! Tu vois, la seule sorte de biscuits qui rentrait chez nous, c'est les biscuits aux brisures de chocolat. C'est mon chum qui mangeait ça. Y capotait là-dessus, les biscuits aux brisures de chocolat.

OUCH

Vous, vous mangez aucune sorte de biscuits?

DAME ESSEULÉE

Non. J'ai jamais été une mangeuse de dessert.

OUCH

Donc, il y a un seul adulte dans votre foyer qui mange des biscuits?

DAME ESSEULÉE

Y habite pus ici.

OUCH

Ah... Euh... «Vous, pour quelle raison ne mangez-vous pas de biscuit?»

140

DAME ESSEULÉE

J'en mangeais quand j'étais encore avec. On se louait un film, pis on se prenait un verre de lait. On fermait les lumières pis... S'cuse-moi. Je suis pas en train de répondre à ta question, hein?

OUCH

Ben, oui pis non. J'ai juste besoin de savoir pourquoi vous mangez pas de biscuits.

DAME ESSEULÉE

Ça me fait penser à lui.

OUCH

OK.

DAME ESSEULÉE

Ça doit pas rentrer dans tes réponses, hein?

OUCH

Pas vraiment.

DAME ESSEULÉE

Qu'est-ce que le monde te répond habituellement?

OUCH

Ben, euh... Y aiment pas le sucré, y surveillent leur ligne, y trouvent que c'est mauvais pour la santé.

DAME ESSEULÉE

Bon ben, ça va être ta dernière réponse. Disons que c'est mauvais pour mon cœur!

OUCH

OK. Bon ben, vu que vous mangez pas de biscuits, c'est déjà terminé.

DAME ESSEULÉE

Ah oui?

OUCH

J'ai seulement quelques questions statistiques. «Quel âge avez-vous?»

DAME ESSEULÉE

39 ans. Presque 40.

OUCH

«Vous êtes célibataire?»

DAME ESSEULÉE

Une célibataire de 39 ans, oui. Ça fait dur, hein?

OUCH

Ben non. Y vous reste pas mal d'années devant vous!

DAME ESSEULÉE

Je sais pas. Je penserais pas.

OUCH

«Quel est votre salaire annuel?»

DAME ESSEULÉE

J'aimerais mieux pas répondre à cette question-là.

OUCH

OK. Eh bien, je vous dérangerai pas plus longtemps. C'est déjà fini.
Ça me prendrait seulement votre prénom pour terminer.

DAME ESSEULÉE

Mon prénom?

OUCH

C'est pour prouver que j'ai pas inventé les réponses.

DAME ESSEULÉE

C'est Véronique.

OUCH

Véronique. Ben, merci, Véronique. Vous avez un beau prénom en passant. *(Silence.)* Alors, je vous souhaite une bonne soirée.

DAME ESSEULÉE

Je pourrais-tu te parler deux minutes.

OUCH

Euh...

DAME ESSEULÉE

Ça me ferait du bien de parler à quelqu'un. Je suis un petit peu... J'aurais besoin de...

OUCH

Qu'est-ce qui va pas?

DAME ESSEULÉE

Mon père a eu une crise cardiaque, hier. Y est aux soins intensifs. C'est pour ça que je suis un petit peu négative aujourd'hui.

OUCH

Est-ce qu'y est correct?

DAME ESSEULÉE

Y est stable. C'est lui qui s'occupait de ma mère qui est ben malade. Ça fait qu'aujourd'hui y a fallu que j'aille placer ma mère dans un foyer de vieux.

OUCH

Ouin.

DAME ESSEULÉE

C'est con, mais on dirait que je viens juste de me rendre compte que j'ai pus de chum. J'aurais aimé ça pas être toute seule dans cette marde-là.

OUCH

J'imagine.

DAME ESSEULÉE

Je pourrais ben aller me chercher un gars dans un bar, c'est assez facile de ramener un gars, mais... ça me déprime trop. Les bars, les approches des gars dans les bars, c'est... Tout ça m'écœure. Comment je pourrais te dire ça... La nuit quand je me couche dans mon lit, c'est... je me sens comme si j'étais couchée au beau milieu du Stade Olympique. Vide. Avec une veilleuse qui fait juste assez de lumière pour que je me rende compte que les sièges sont vides. Je me sens fatiguée. Fatiguée pis tellement vide. J'aurais juste besoin que quelqu'un me prenne dans ses bras.

OUCH

Voulez-vous on va faire quelque chose.

DAME ESSEULÉE

Quoi?

OUCH

Je vais vous prendre dans mes bras, moi. Vous allez imaginer que je vous prends dans mes bras. Fermez les yeux.

DAME ESSEULÉE

OK.

OUCH

Je m'assois à côté de vous. Je mets mon bras autour de votre épaule. Je passe ma main dans vos cheveux. Je la mets sur votre front.

La Dame sanglote. Ouch la prend réellement dans ses bras. Boss rejoint Ouch et lui tape sur l'épaule.

BOSS

Je peux savoir ce que tu fais?

OUCH

La Madame a va pas très bien.

BOSS

Dis-lui que tu dois raccrocher.

OUCH

Je peux pas la laisser de même!

BOSS

C'est un longue distance!

OUCH

Je sais ben, mais...

BOSS

Y a des organismes pour aider le monde qui veulent se tuer! A l'a juste à appeler là.

DAME ESSEULÉE

Qu'est-ce qui se passe?

OUCH

C'est rien, ma Boss veut me parler.

DAME ESSEULÉE
Dis-moi pas qu'en plus je vas te faire perdre ta job!

OUCH
Ben, non, Madame, ma boss est pas assez épaisse pour me mettre dehors pour une niaiserie de même.

Regard bête de Boss. Ouch berce doucement la Dame esseulée. Ouch chante.

Tant pis

TANT PIS
SI ON DEVIENT RIEN.
PAS DE GAZON À TONDRE,
NI DE MACHINE POUR RÉPONDRE.
PAS D'ASSURANCE DANS LA VIE,
PAS DE MARGE, NI DE CRÉDIT.
PAS DE MANŒUVRE, RIEN DE SALE,
NI DE COLONNE VERTÉBRALE.
PAS DE PLAN DE CARRIÈRE,
NI DE PLAN D'ADULTÈRE.
PAS MARIÉE, NI DIVORCÉE;
L'IDENTITÉ SANS PAPIER.
PAS DE CANCER, NI D'ULCÈRE.
PAS DE TEMPÊTE DANS UN VERRE.
PAS DE VAGUE, PAS DE LIT D'EAU,
PAS DE SOUVENIR VIDÉO.
NON, RIEN.
RIEN DE RIEN.
RIEN DE MOINS QUE RIEN.
JE VAUX RIEN.
MOINS QUE RIEN.

146

MAIS ÇA ME FAIT RIEN.
RIEN, RIEN, RIEN, RIEN, RIEN!
JE SENS RIEN.

TANT PIS
SI ON DEVIENT RIEN.
PAS DE LAVE-VAISSELLE,
NI DE RÉGIME SANS SEL.
PAS DE TRIP D'HYPOTHÈQUE,
DE SPOT DE DISCOTHÈQUE.
JAMAIS RIEN DANS LE MILLE,
NI DANS LE ROUGE, PAS DE BILE.
DU BLANC,
DU BLANC SU'L'TESTAMENT.
PAS DE SECRET, NI D'INCESTE.
PAS D'VUE D'EXTRA-TERRESTRE.
PAS DE DIEU, NI DE PRINCIPE.
DU HASCHICH DANS MA PIPE.
À PEINE DEUX OU TROIS QUESTIONS.
ARMÉE SANS MUNITION!

NON, RIEN.
RIEN DE RIEN.
RIEN DE MOINS QUE RIEN.
JE VAUX RIEN.
MOINS QUE RIEN.
MAIS ÇA ME FAIT RIEN.
RIEN, RIEN, RIEN, RIEN, RIEN!
JE SENS RIEN.

Ovni et Shit s'approchent d'Ouch.

OUCH
Je vais m'ennuyer de vous autres.

SHIT
Pourquoi tu dis ça?

OUCH
Je vais me faire mettre dehors, je pense.

QUATRIÈME MOUVEMENT

1

Lune chante. Plus la chanson avance, plus la scène entre dans une pénombre, dans une obscurité bleutée. Les autres personnages se promènent dans la centrale téléphonique munis de lampes de poche. Lune chante.

Mon ciel préféré

C'EST ENFIN L'HEURE
DE MON CIEL PRÉFÉRÉ.
JUSTE UN PEU AVANT
LES PREMIÈRES ÉTOILES.
C'EST UN BLEU JOLIMENT
PUR QUI S'INSTALLE
AUTOUR D'LA LUNE.

EST-CE LA COULEUR EN FORMAT GÉANT
DES YEUX DE MON PREMIER BAISER?
EST-CE LA LUEUR DE L'EAU DE L'OCÉAN
QUAND LE SOLEIL VIENT L'INONDER?
POURQUOI JE L'AIME?
PEUT-ÊTRE QUE DESSOUS MA PEAU LE BLEU DE MES VEINES EST AUSSI BEAU?
CE BLEU QUE J'AIME.
PEUT-ÊTRE QUE DANS LES MOTS D'AMOUR D'UN STYLO LE BLEU EST AUSSI CHAUD?

C'EST ENFIN L'HEURE
DE MON CIEL PRÉFÉRÉ.
J'AURAI MAL AU COU,
JE L'AIME BEAUCOUP.
C'EST UN BLEU QUI ME MENT
POUR FAIRE DES PÉTALES
AUTOUR D'LA LUNE.

UN BLEU QUI ME MANQUE
DANS MA VIE NORMALE
TROP BEIGE ET TROP BRUNE.

CHŒUR DES SONDEURS

Avoir des griffes ça donne envie de griffer
J'ai plus de vocabulaire quand j'ai pris un joint
Avoir des griffes quand j'ai pris un joint
Ça donne envie de griffer une révélation de Dieu
La ville ça incite à avoir des échanges sexuels
Y parlent pas des extra-terrestres aux nouvelles
Y parlent pas j'ai plus de vocabulaire
Tout ce qui te marque est une révélation
Les grosses se sentent toujours obligées
C'est toujours choquant obligées d'être cochonnes
C'est toujours choquant les échanges sexuels
Quand y reste pus de jus dans ton verre
La vessie c'est le mental la vessie c'est le mental
Si on a une bouche qui contrôle ça
Si on a une bouche c'est pour parler
Pour faire la guerre j'ai plus de vocabulaire
Faut que tu manges pour faire la guerre
Le problème des fleurs c'est qu'y en a beaucoup
Tout le monde a des tentations le problème des fleurs
Avoir des griffes des désirs inavouables

Des griffes faut avoir des griffes
Tous les jours des accidents
Peut-être que l'aveugle
Une révélation
Des griffes
Envie de griffer
Le problème des fleurs
Si on a une bouche qui contrôle ça
Le problème des fleurs
Le
Problème
Des
Bouches

2

Love, Drak ,Shit, Ouch et Ovni.

OVNI
Pis? Qu'est-ce qui se passe?

LOVE
Boss a parlé à l'Hydro pis y peuvent pas dire si le courant va revenir bientôt.

OVNI
On peut-tu partir?

DRAK
A veut absolument qu'on reste. Au cas où ça reviendrait.

OUCH
Ostie qu'est conne quand a veut!

OVNI
Ouin, ben, qu'est-ce qu'on fait?

LOVE
On a pas ben ben le choix.

SHIT
Y a-tu quelqu'un qui a un jeu de cartes?

LOVE

Moi j'ai un joint. On pourrait fumer.

SHIT

Si le courant revient on va avoir l'air con.

DRAK

Idéalement faudrait que tout le monde fume! Comme ça si on a l'air con, ben, on aura l'air con tout le monde ensemble.

OVNI

Hey! C'est bon ça!

DRAK

Je pense ben être en mesure de convaincre tout le monde. Moi et ma force de persuasion exceptionnelle.

OUCH

Même Boss?

LOVE

Ben là, faut pas rêver!

OUCH

Non, mais c'est vrai! Faudrait ben qu'a soit gelée, elle aussi!

DRAK

Je m'en occupe.

OVNI

Osti que t'es con!

LOVE

Comment tu vas faire ça?

OUCH

On pourrait l'attacher après une chaise pis la faire fumer de force.

*Sortant de la doublure de sa veste noire un petit
sac de plastique contenant un biscuit.*

DRAK

Ça va être moins compliqué que ça. J'ai ici un merveilleux petit
biscuit au pot.

LOVE

Y es-tu fort?

DRAK

Pas pire pantoute.

3

Hapy et Olyp se retrouvent seuls.

OLYP
J'ai pensé à ce que tu m'as fait l'autre jour.

HAPY
Ce que je t'ai fait?

OLYP
Quand tu m'as sauté dessus pour m'embrasser.

HAPY
Je t'ai pas sauté dessus. Je t'ai-tu sauté dessus?

OLYP
Je pense que je te dois une explication.

HAPY
Dans ma tête, en tout cas, y était pas question que je te saute dessus.

OLYP
J'ai juste envie qu'on clarifie tout ça. Sinon on arrivera pus à être bien ensemble.

HAPY
Écoute, je pense que...

OLYP

Coupe-moi pas. Ça fait mal.

HAPY

Ça fait mal?

OLYP

C'est très difficile ce que je fais en ce moment.

HAPY

Je voulais pas te couper.

OLYP

Ça m'oblige à aller au fond des choses. À faire face à moi-même. À mes limites.

HAPY

Je m'excuse encore. Je voulais pas te faire vivre quelque chose de plate, là.

OLYP

Premièrement, faut que tu saches que je trouve pas ça désagréable d'embrasser un gars.

HAPY

Ah, OK. C'est bon. C'est enregistré.

OLYP

Je voudrais pas que tu te méprennes sur mes orientations sexuelles.

HAPY

Ah! J'ai jamais pensé quoi que ce soit qui puisse me faire penser que t'étais... de l'autre bord.

OLYP

Je veux que tu saches que dans mes fantasmes, y a toujours au moins
une image d'homme. Des fois, y en a plusieurs même.

HAPY

C'est pas de ta faute si je corresponds pas tout-à-fait à l'image mentale
que tu désires. T'es pas la première fille à penser ça, t'sais.

OLYP

T'aurais beau être le gars qui correspond le mieux à mes attentes,
j'aurais réagi de la même façon.

HAPY

T'as ben fait de réagir comme y fallait que tu réagisses. C'est bien. Ça
prouve que tu sais t'écouter.

OLYP

C'est pas facile à avouer ce que je vais te dire là, mais y faut que je le
fasse. Je me dis que dans le fond tu m'as comme lancé un défi.

HAPY

Je voulais rien te lancer, t'sais.

OLYP

Un défi face à moi-même.

HAPY

Si t'aimes mieux le relever une autre fois, ton défi, y a pas de
problème, hein?

OLYP

Attends. *(Elle se concentre et prend une grande respiration.)* Je vas
le dire. Je vas le dire, là, je vas le dire! Je vas le dire, je vas le dire, je
vas le dire! *(Temps.)* J'aime mieux faire ça toute seule.

HAPY

Quoi?

OLYP

Faire l'amour.

HAPY

Ah oui?

OLYP

J'aime mieux faire ça toute seule.

HAPY

Ben écoute, c'est correct, je respecte ça. Moi aussi la plupart du temps, je fais ça tout seul.

OLYP

Ah oui?

HAPY

Oui!

OLYP

C'est merveilleux!

HAPY

Ah, j'avoue que ça fait du bien!

OLYP

On fera l'amour chacun de notre bord, pis ça va être correct.

HAPY

Qu'est-ce tu veux dire?

OLYP

Je penserai à toi. Tu penseras à moi.

HAPY

Ça veut-tu dire qu'on sort ensemble?

OLYP

Oui, si tu veux. Mais on couche pas ensemble, c'est tout.

HAPY

De toute façon, ça viendra quand ça viendra.

OLYP

Non. Ça viendra pas. J'ai déjà couché avec quelqu'un une fois, pis j'ai perdu le contrôle.

HAPY

Qu'est-ce tu veux dire?

OLYP

J'ai perdu le contrôle.

HAPY

Ah ben.

OLYP

J'ai appris qu'y me trompait avec une autre fille. Pendant qu'on mettait la table, je lui ai cassé une assiette sur la tête.

HAPY

Y es-tu mort?

OLYP

Y est mort, oui. Mais pas à cause de ça. Y a eu un accident d'auto l'an passé.

HAPY

Ayoye...

OLYP

C'est comme ça.

HAPY

Ben... Mes sincères condoléances.

OLYP

C'est pas grave.

HAPY

T'étais pus avec, quand c'est arrivé, c'est ça?

OLYP

On venait de se laisser. Y m'avait encore trompée. *(Petit rire nerveux.)* J'ai de la misère à être triste pour lui.

HAPY

C'est pas grave. Au moins, y est pas dans le coma.

OLYP

Est-ce que t'as une cigarette?

HAPY

Oui, sûrement.

Il lui tend son paquet. Elle prend une cigarette qu'elle allume. Hapy reste figé un moment, puis il la lui arrache de la bouche.

HAPY

Fais pas ça! Tu vas gâcher tous tes efforts!

162

OLYP, *elle lui saute au cou et commence à l'étrangler*
Dis-moi pus jamais ce qu'y faut que je fasse, OK?

4

*Dans un autre coin de la boîte de sondage. Love
et Quoi s'embrassent. La lumière d'une lampe de
poche projette leurs ombres en format géant sur le
mur.*

LOVE
Regarde nos ombres.

CHŒUR DES SONDEURS
Regarde nos ombres.

LOVE
C'est beau.

CHŒUR DES SONDEURS
C'est beau.

LOVE
J'ai vu un film une fois où un couple faisait l'amour pis on voyait leurs
ombres. C'était à Bleu Nuit. Tu regardes Bleu Nuit, des fois?

QUOI
Des fois.

LOVE
On voyait la fille de dos, sur le gars. A l'avait les mains sur les barreaux
du lit, pis après, la caméra se déplaçait pis on voyait juste son ombre...
C'était l'histoire d'un gars en amour avec deux femmes.

Elle caresse lentement le corps de Quoi et regarde
les ombres.

LOVE
Regarde.

CHŒUR DES SONDEURS
Regarde nos ombres.

LOVE
C'est beau, hein?

CHŒUR DES SONDEURS
C'est beau.

Quoi fait un geste pour arrêter Love.

LOVE
Qu'est-ce qu'y a?

Quoi sort une lettre qu'il déplie.

LOVE
Tu veux me lire quelque chose?

QUOI
Je veux te lire quelque chose.

LOVE
C'est quoi? Une lettre?

QUOI
Une lettre.

LOVE
D'amour?

QUOI
D'amour.

LOVE
Ben là, fallait pas.

QUOI, *il commence à lire*
Chère Amour, mon cœur est plein de toi. Ton odeur est restée collée
à ma peau. Je ferme les yeux et je sens, je revois les caresses. Je ferme
les yeux et c'est ton image, c'est ta bouche qui me revient. J'ai envie
de voir tes yeux. Tes yeux qui vont vers les miens, qui rentrent en
moi. C'est la chose la plus douce que je connaisse. Le frisson que ça
me donne. Le vertige. C'est sûrement de là que ça vient «tomber en
amour». Je tombe. Littéralement. Je veux tomber dans le trou noir
de tes yeux. Je veux que tout mon être se tienne dans ma pupille.
Pour te voir. T'admirer. Te voir passer dans le corridor et le temps
n'existe plus. Et la vie n'existe plus. Je suis à toi. Je suis toi. Oui, c'est
ça : j'ai l'impression d'être toi. C'est moi qui te pénètre et pourtant
j'ai l'impression que c'est toi qui glisse en moi. Ta façon d'être rentre
en moi et mes gestes sont de plus en plus légers. Mes sourires sont
pleins de toi. Regarder nos sexes qui s'embrassent. Je ferais ça
jusqu'à la fin des temps. T'entendre, tes mots qui me désirent. Te
voir tourner la tête, me chercher des yeux. Attendre que tu passes
près de moi. Me réveiller pendant la nuit et serrer mon oreiller

comme si c'était toi. Regarder les oiseaux et trouver ça beau. Sentir le vent dans mes cheveux et imaginer que c'est ta main qui me caresse. Regarder un arbre, le trouver beau, et souhaiter que bientôt nous marcherons ensemble près de cet arbre et que je te le montrerai et que tu le trouveras beau. Me lever au beau milieu de la nuit et regarder les étoiles. Ne plus voir personne, ne plus jamais parler à personne d'autre qu'à toi. De toute façon, tu es partout. Tout est toi. Tu fais partie de l'univers alors j'aime la vie. Je sais que tu es là, à quelque part. Je pense à toi qui penses à moi. Je te parle même quand t'es pas là. Je t'aime. *(Quelque chose a changé. Pour la première fois de la pièce Quoi semble être bien dans sa peau.)* Comment tu trouves ça?

        LOVE
Comment je trouve ça?

        QUOI
C'est beau, hein?

        LOVE
C'est beau, oui.

        QUOI
Je me suis jamais senti comme ça.

        LOVE
Tu t'es jamais senti comme ça.

        QUOI
J'ai jamais rien écrit qui ressemble à ça. Je pense même que j'ai jamais pensé quelque chose qui ressemble à ça. C'est comme si... C'est comme si je commençais à vivre.

LOVE
Comme si tu commençais à vivre.

5

Drak tend un joint à Star. Elle fume.

STAR

J'ai un problème. J'ai été mangé avec ma mère. Chez McDo. J'ai envie de la tuer. Je veux lui faire mal. J'ai commandé un Big Mac. Des frites. Un trio avec la liqueur. On s'est assis. Pis là je sais pas comment ça s'est passé, mais en prenant une bouchée de mon Big Mac, j'ai pensé à elle. Exactement comme je prenais ma bouchée. Au moment même où mes dents ont déchiré la viande, j'ai eu l'image de ma mère dans la tête. L'image de ma mère dans le Big Mac que j'étais en train de manger. J'ai pensé, c'est sa chair à elle. Je sais pas si c'est à cause de la sauce. Parce que la sauce, j'ai eu l'impression qu'a goûtait le sang, mais en même temps, c'est pas ça. C'est mes dents dans la viande, je pense, qui m'ont donné l'impression que... Mais ce qui est bizarre, c'est que j'ai pas eu envie de chasser de ma tête cette pensée-là. Au contraire, je suis rentrée plus profondément dedans. Je me suis concentrée sur la texture de la viande. Le goût. Pis je me suis mise à fixer ma mère. Sa main. J'imaginais que c'était sa main. Son bras. Je regardais son avant-bras pis je mordais dedans. Avec mes yeux. Je mordais dedans avec mes yeux pendant que ma bouche mordait dans le Big Mac. Je disais rien, mais c'était pas très grave, ça fait longtemps que ma mère pis moi on se dit pus rien quand on mange ensemble au restaurant. A s'est seulement doutée qu'y avait quelque chose qui allait pas quand je suis allée me chercher un deuxième Big Mac. C'est pas dans mes habitudes de manger beaucoup. Je surveille ma ligne. A comprenait pas. Je lui ai dit qu'un Big Mac c'était pas suffisant. A pouvait pas comprendre. Son corps pouvait pas rentrer rien que dans deux boulettes. J'ai mangé mon deuxième Big Mac. Pis là, a s'est rendue compte que c'était pas normal. A me regardait avec ses yeux pleins de questions. Pis a l'a dit la phrase qui me fait le plus chier au monde : «Qu'est-ce qui se passe avec toi, ma grande fille?» Chaque fois que je fais quelque chose qu'elle aurait pas fait, a dit ça. «Qu'est-ce qui se passe avec toi?» Chaque fois que je fais quelque chose qui lui ressemble pas. Chaque fois que je fais quelque chose qui fait que je suis moi. Que je suis pas elle. Tout le temps la même question. Avec un sourire figé. «Qu'est-ce qui se passe avec toi?» Là, c'est devenu clair. C'est pour cette phrase-là que j'ai envie de la tuer. Pour qu'a l'arrête de me dire cette crisse de phrase-là! Quand on est sorti du McDo, j'ai fait exprès pour lui envoyer la porte sur son genou. «Qu'est-ce qui se passe avec toi, ma grande fille.» Encore. «T'es donc ben distraite. T'es-tu en amour», quelque chose de même avec un rire stupide. Pis cette nuit-là, j'ai rêvé. C'était comme chez toi. T'étais là. Ma mère était une poupée de plastique avec un fil dans le dos. T'as tiré sur le fil, pis a s'est mise à dire sa maudite phrase. «Qu'est-ce qui se passe avec toi?» Je l'ai dépecée... Je me suis pas réveillée avant d'avoir fini. J'ai peur que le rêve soit pas suffisant. Je sais que je la tuerai pas, je suis pas folle, mais j'ai le goût de lui faire mal. Comme la porte sur le genou. Ou avec des mots. Lui dire des choses blessantes.

Drak chante.

Attachez-moi

Faut que je me retienne.
Je ferais le tour avec mon bras
De son joli p'tit cou.
Je l'embrasserais sur la joue.

POUR CONSOLER SA PEINE,
JE DÉPOSERAIS MES DOIGTS
SUR SON BEAU FRONT NAÏF
SANS MÊME SORTIR MES GRIFFES.

NON!
ATTACHEZ-MOI
AVANT QUE JE M'ATTACHE
À ELLE.

COMMENT ÇA SE FAIT QUE JE LA TROUVE BELLE?

C'ÉTAIT SI FACILE
DE RESTER IMBÉCILE
PIS TRANQUILLE.

NON, NON, NON, NON!
ATTACHEZ-MOI
AVANT QUE JE M'ATTACHE.

C'EST TROP KÉTAINE,
FAUT QUE JE ME RETIENNE!

JE ME SENS DEVENIR INCOHÉRENT.
J'AI PUS DE COLONNE, J'AI PUS MES DENTS.
JE VAS L'INVITER AU RESTAURANT,
À PASSER SA VIE DANS MON LIT.
POUR QU'A ME PRÉSENTE À SES PARENTS,
JE ME VOIS ALLER JE VAS LUI JURER
D'ÊTRE AVEC ELLE QUAND JE FAIS L'AMOUR,
DE PUS JAMAIS RIEN CRITIQUER,
DE ME BAIGNER DANS'LUMIÈRE DU JOUR.

NON!
ATTACHEZ-MOI
AVANT QUE JE M'ATTACHE
À ELLE.

COMMENT ÇA S'FAIT QUE J'LA TROUVE BELLE?

C'ÉTAIT SI FACILE
DE RESTER IMBÉCILE
PIS TRANQUILLE.

NON, NON, NON, NON!
ATTACHEZ-MOI
AVANT QUE JE M'ATTACHE.

C'EST TROP KÉTAINE
FAUT QUE JE ME RETIENNE!

JE ME SENS DEVENIR PRESQUE INDULGENT;
JE LA TROUVE PUS AUSSI CONNE QU'AVANT...

DE TOUTE FAÇON,
LE CON C'EST MOI!

6

Ovni parcours la lettre d'amour que Quoi a adressé à Love. Le chœur des sondeurs chante.

CHŒUR DE LA LETTRE N° 1

CHÈRE AMOUR, MON CŒUR EST PLEIN DE TOI.
TON ODEUR EST RESTÉE COLLÉE À MA PEAU.
JE FERME LES YEUX ET JE SENS, JE REVOIS LES CARESSES.
JE FERME LES YEUX ET C'EST TON IMAGE, C'EST TA BOUCHE QUI ME REVIENT.
J'AI ENVIE DE VOIR TES YEUX.
TES YEUX QUI VONT VERS LES MIENS, QUI RENTRENT EN MOI.
C'EST LA CHOSE LA PLUS DOUCE QUE JE CONNAISSE.

OVNI
Ouin ben, y est pâmé ben raide, le pauvre.

LOVE
Je pensais pas qu'y pouvait être aussi déconnecté de la réalité. Si j'avais su qu'y était aussi téteux, je lui aurais pas touché.

OVNI
Peut-être que c'était la première fois qu'y baisait.

LOVE
Franchement, y a trente ans.

OVNI

Pis?

LOVE

Tu penses qu'y était vierge?

OVNI

En tous cas, dans cette lettre-là, moi je vois tous les signes de la
virginité perdue.

CHŒUR DES SONDEURS

Je ferais ça jusqu'à la fin des temps.

OVNI

C'est un petit peu too much, non?

LOVE

Me semble que j'ai été claire dans mes signaux pourtant. C'était du
cul, pis rien d'autre.

OVNI

Tu l'as-tu embrassé sur la bouche?

LOVE

Ben oui.

OVNI

Avec la langue?

LOVE

C'est sûr, franchement.

OVNI

Tu l'as pas sucé, quand même?

LOVE

Ben là.

OVNI

L'as-tu sucé, oui ou non?

LOVE

Ben oui. Un petit peu!

CHŒUR DES SONDEURS

Je ferais ça jusqu'à la fin des temps.

OVNI

Ben cherche pas plus loin.

LOVE

T'es con!

OVNI

Tu sais pas ce que ça peut faire à un gars une bonne pipe.

LOVE

C'était un trip de cul! On pouvait pas faire ça platement comme un couple marié pis blasé.

OVNI

Avoue que t'as couru après.

LOVE

Si j'avais été en amour avec lui, c'est évident que j'aurais pas baisé avec, vite de même! Si je l'avais aimé, si j'avais ressenti quelque chose de profond pour lui, j'aurais pas voulu qu'y pense que je peux coucher avec n'importe qui... vite de même... pif, paf... La deuxième fois qu'on se parle! C'est logique, non?

OVNI
C'est ben logique.

LOVE
Comment tu veux que je respecte ce gars-là, en sachant qu'une fille qu'y connaît même pas a juste à se faufiler aux toilettes pendant qu'y est là, pis qu'y va se laisser convaincre de baiser avec elle! Franchement! C'est un méchant salaud!

OVNI
C'est un écœurant!

LOVE
Ris pas, c'est pas drôle.

OVNI
C'est certain que c'est pas drôle.

CHŒUR DES SONDEURS
Tu fais partie de l'Univers, alors j'aime la vie!

LOVE
C'est déprimant, hein?

OVNI
Tu veux que je te dise ton problème : tu fais trop bien ça.

Léger temps. Elle est touchée par la réplique d'Ovni.

LOVE
Je pense pas que c'est ça mon problème.

OVNI

Ah non? C'est quoi?

LOVE

Mon problème, c'est que le gars que j'aime, y a une blonde.

CHŒUR DES SONDEURS

Tu fais partie de l'univers alors j'aime la vie.

Long temps.

OVNI

Je suis désolé, Love.

LOVE

C'est correct. C'est plate, mais c'est correct. *(Elle s'approche doucement de lui. Séductrice.)* Tu peux-tu faire quelque chose pour qu'y arrête de m'achaler?

OVNI

Qui ça? Quoi?

LOVE

J'aimerais ça qu'y comprenne qu'y est mieux de pas trop s'approcher.

OVNI

Est-ce que tu me permets d'user de violence?

LOVE

Juste si tu juges que c'est nécessaire.

7

Ange tire Lune par le bras.   Celle-ci essaie de résister. Le chœur des sondeurs chante.

CHŒUR DE LA LETTRE N^O 2

NE PLUS VOIR PERSONNE, NE PLUS JAMAIS PARLER À PERSONNE D'AUTRE QU'À TOI.
DE TOUTE FAÇON, TU ES PARTOUT.
TOUT EST TOI.
TU FAIS PARTIE DE L'UNIVERS ALORS J'AIME LA VIE.
JE SAIS QUE TU ES LÀ, À QUELQUE PART.
JE PENSE À TOI QUI PENSES À MOI.
JE TE PARLE MÊME QUAND TU N'ES PAS LÀ.
JE T'AIME.

ANGE

Lune, j'ai compris. Faut partir d'ici.

LUNE

Qu'est-ce qui se passe?

ANGE

Je vois l'invisible! La panne. C'est un signe. Une révélation! Le Mal est ici. Le courant a été coupé pour nous faire comprendre. La noirceur. On est dans la noirceur. Comme dans le ventre de la bête qui veut nous avaler. Nous transformer en chiffre, nous aussi. Le Mal est ici!

LUNE

C'est toute la ville qui est en panne, Ange. C'est pas juste le building
ici.

ANGE

C'est pas juste la ville! C'est tout le continent! Toute la planète! On
est dans la noirceur. Dans la noirceur. C'est évident. Ça crève les
yeux. Dieu nous parle!

LUNE

Comment Y te parle? T'entends sa voix?

ANGE

Le code 99. J'ai pensé à ça. J'ai découvert pourquoi on a pas le droit
d'utiliser le code 99! Le code 99, c'est JE NE SAIS PAS. C'est le code
de Dieu. JE NE SAIS PAS, c'est le mystère. Dieu est mystère. Le savoir
est dangereux. Souviens-toi de la pomme. Du serpent et la pomme.
Le building ici, c'est comme un serpent. Un serpent qui se tient
debout sur la queue. Un serpent arrogant. Les ordinateurs. Pense à
nos ordinateurs. Macintosh. Une pomme. Le symbole qu'y a sur
l'ordinateur, c'est une pomme croquée. La pomme de l'arbre du
savoir. Le paradis perdu. C'est pas pour rien qu'on a pas le droit
d'utiliser le code 99. Je me suis demandé... J'ai pensé à ça pis
j'arrivais pas à voir, mais c'est évident, la réponse est dans le chiffre.
99. 99 à l'envers ça devient 66. Donc c'est évident, vu que tous les
réponses JE NE SAIS PAS vont dans le code 99, on pourrait dire que
toutes les réponses qu'on réussit à obtenir, à chaque fois qu'on peut
dire JE SAIS, ça serait des réponses de la Bête. Du code 66. Le 66 veut
tuer le Mystère. Tout savoir pour pouvoir le décoder en chiffre.
Statistique. Les statistiques, c'est assurément la fin de Dieu! Dans la
Bible. Y faut retourner à la Bible, la source de la Lumière. Pis tu vois,
là, on est plongés dans la noirceur. C'est la fin. Au début était le
verbe. Dieu, c'est le verbe incarné. Les mots peuvent nous sauver. Y

faut parler.   On doit pas trouver l'équation mathématique dans laquelle tient le monde. Y a des signes partout.

LUNE

Prends ma main, Ange. T'es rendue trop loin! T'es en train de te perdre!

ANGE

Y a des signes. La noirceur. La panne. Y a des signes de noirceur partout. Le président des États-Unis qui commet le péché d'adultère pis qu'y est pardonné par le peuple. L'acceptation du péché. Le 99! Wayne Gretzky, le Dieu du hockey qui se retire. Le 99 abandonne en 99. Les signes sont évidents. Le 99 abandonne. Dieu abandonne la partie! À cause du péché! D'après les sondages, les américains ont pardonné à Bill Clinton. Qu'est-ce que tu penses que ça veut dire? C'était sur la première page des journaux. Les sondages permettent de faire des péchés. Les missiles en Afghanistan. Le Kosovo! 80% des américains sont d'accord avec le geste de faire la guerre. Tuer son prochain. Faire la guerre. C'est pus un péché. C'est la fin. Les signes sont là. La panne d'électricité. Les cataclysmes. L'argent. Le client qui paye pour avoir des réponses. Regarde dehors. Tu trouves pas que les édifices, sans la lumière, c'est comme des serpents. Des ombres de serpents qui montent dans la nuit. Des serpents arrogants qui crachent au visage de Dieu.

LUNE

T'es pas dans ton état normal, Ange. Faut que tu saches que t'es pas dans ton état normal.

ANGE

On peut pus être dans notre état normal. Tout nous pousse. On est dans le tourbillon. La fin.

LUNE

T'as pris de la drogue, toi aussi? C'est ça?

ANGE

Tu vois, ça aussi c'est un signe. La drogue est partout ici. Pour nous... Pour nous endormir.

LUNE

T'as fumé?

ANGE

On a voulu. La main tendu vers moi. Le joint fumant. La braise rouge. Les rires. La fumée. L'enfer. J'ai dit non. Non. Pas moi. Si moi je... Si moi j'abandonne, c'est fini. C'est pour moi, à cause de moi que Dieu patiente encore. Y renonce à m'abandonner, à... Sois pas inquiète, Lune. J'ai dit non. Je sais encore dire non. Dire oui à Dieu. Faut partir d'ici! Viens Lune. Viens avec moi dans l'Invisible!

LUNE

Faut que tu reviennes, Ange! T'es trop loin!

ANGE

On va rejoindre Dieu pis ta sœur!

LUNE

Ferme les yeux! Je vais te lancer une corde, OK!

ANGE

Dis-moi pas que t'es avec eux.

LUNE

Je suis avec toi, Ange. Ferme les yeux, tu vas voir une corde apparaître!

184

ANGE

Trahis-moi pas.

LUNE

Prends la corde dans tes mains pis serre fort, je vais te ramener, OK?

*Ange ferme les yeux puis se jette dans les bras de
Lune.*

ANGE

J'ai mis tellement d'espoir en toi.

LUNE

C'est pas le moment d'aller rejoindre Dieu!

ANGE

Non? C'est pas Lui qui t'a envoyée?

LUNE

On va aller te mettre un peu d'eau dans le visage, OK?

ANGE

Pas d'eau maudite sur mon visage! Pas d'eau maudite!

Ange se sauve. Lune court après elle.

LUNE

ANGE!

8

Drak tient Quoi prisonnier dans ses bras, pendant qu'Ovni le tabasse. Le chœur des sondeurs chante.

CHŒUR DE LA LETTRE N° 3
NE PLUS VOIR PERSONNE, NE PLUS JAMAIS PARLER À PERSONNE D'AUTRE QU'À TOI.
DE TOUTE FAÇON, TU ES PARTOUT.
TOUT EST TOI.
TU FAIS PARTIE DE L'UNIVERS ALORS J'AIME LA VIE.
JE SAIS QUE TU ES LÀ, À QUELQUE PART.
JE PENSE À TOI QUI PENSES À MOI.
JE TE PARLE MÊME QUAND TU N'ES PAS LÀ.
JE T'AIME.

Shit, voyant le combat décide d'intervenir et de séparer Ovni et Quoi. Il jette Ovni par terre et lui saute dessus.

SHIT
Je veux pas que tu sois de même, OK!

OVNI
Voyons, Shit.

SHIT
Tu m'écoutes pas quand je te parle?

OVNI
Qu'est-ce qu'y a Shit?

SHIT, *fou de rage*
T'es comme dans Jerry! T'es comme dans Jerry Springer, tabarnak!
Pis à cause de toi, moi aussi je suis comme dans Jerry Springer! Tu
me fais chier! Tu me fais chier!

Drak «s'occupe» de Quoi pendant que Shit et Ovni
roulent par terre.

SHIT
Crisse, je m'étais trompé, Ovni. La guerre existe! Même si on la voit
pas. Même si a l'a pas l'air de vouloir sortir de la tévé. 'Est là. La
guerre est en moi! La guerre est en toi! Le bombardement est en
train de nous tuer. Y a trop d'affaires. On reçoit trop d'affaires! La
guerre, la famine, les accidents de la route, les catastrophes, les
fusillades, les émeutes, on a toute ça dans nous autres... On les reçoit
trop! On les reçoit tout le temps. Ça nous bombarde, ça nous tue.
Ça nous empêche de... Ça nous empêche de vivre! Je suis certain de
ça, Ovni. C'est pas normal d'être normal! De fonctionner! De
continuer à fonctionner dans ce bombardement de marde-là!
Faudrait être fou! Ça serait juste normal d'être fou! Comprends-tu?
Si on était vraiment lucide, on serait toutes des fous! Aide-moi, Ovni,
je comprends pus! Je comprends toute! Je comprends pus! Je
comprends toute! Je comprends pus! *(Il rit de rage. Ovni réussit à*
le neutraliser.) T'étais comme dans Jerry, Ovni! T'étais comme dans
Jerry pis moi aussi! *(Rire triste.)*

Cette fois, ce sont Quoi et Drak qui tentent de
séparer Shit et Ovni. Bataille. Confusion. Jusqu'à
l'arrivée soudaine de Ouch.

OUCH
Les gars! Arrêtez, les gars!

DRAK
Tu vois pas qu'on s'amuse?

OUCH
On a un problème. Boss est montée sur le toît.

OVNI
Quoi?

OUCH
Boss est grimpée sur le toît.

OVNI
Comment ça, Boss est montée sur le toît?

OUCH
T'aurais pas dû lui donner le biscuit, Drak.

DRAK
Je lui ai pas donné le bicuit.

OUCH
Quoi?

DRAK
C'est à Ange que je l'ai donné, le biscuit.

OUCH
Fuck. Ça va plus mal que je pensais d'abord.

OVNI
Qu'est-ce qu'a fait sur le toît?

OUCH
Je sais pas. Vite faut aller voir...

SHIT, *tout bas, pour lui-même*
Ça va être comme dans Jerry! Ça va encore être comme dans Jerry!

Drak et Ovni lâchent Quoi.

9

Rapidement, on s'approche de Boss qui est sur le rebord de l'édifice. Tous les sondeurs, sauf Yoyo et Ange se tiennent autour d'elle.

CHŒUR DES SONDEURS, *dans un murmure*
Avoir des griffes ça donne envie de griffer
Avoir des griffes quand j'ai pris un joint
Ça donne envie de griffer une révélation de Dieu
Tout ce qui te marque est une révélation
Quand y reste pus de jus dans ton verre
Si on a une bouche qui contrôle ça
Y a tellement de monde y a plein d'enfants
Le problème des fleurs qui se rencontrent sur l'internet
Le problème des fleurs
Si on a une bouche qui contrôle ça
Le problème des fleurs
Le
Problème
Des
Bouches

BOSS
Tout le monde était là. Évachés par terre. Ç'a m'a écœurée. J'aurais voulu leur dire de se lever pis d'aller travailler, mais à cause de la panne, je pouvais pas... Je suis sortie dans le corridor, j'ai vu les

escaliers, pis je me suis rendue compte que j'avais besoin d'air. Je me suis retrouvée sur le toît de l'édifice. J'ai regardé le ciel. J'ai respiré. J'ai eu envie de regarder en bas. Je me suis approchée du bord. Je me suis penchée, j'ai vu la rue. Les voitures minuscules. Là, j'ai eu envie de rire. Je sais pas pourquoi, mais je suis montée sur le rebord pis j'ai mis les bras en croix. J'ai pas ri. J'ai entendu des bruits de pas provenant de l'escalier. Un murmure derrière moi.

BOSS et le CHŒUR DES SONDEURS
Qu'est-ce qu'a fait là?

BOSS
Je sais pas si la question venait d'eux ou de moi. Pourquoi je suis sur le toît? Pourquoi je suis sur le rebord? J'ai eu un grand vertige. C'était pas à cause de la hauteur. C'est à cause de ce que j'ai entendu; la réponse, dans ma tête.

BOSS et le CHŒUR DES SONDEURS
Parce que tu veux sauter.

BOSS
Et ça m'est apparu évident. Je veux sauter. Si je me suis rendue jusqu'ici, c'est uniquement pour ça : sauter.

Boss chante.

La dernière chute

ÇA Y EST, C'EST LA FIN DU MONDE.
JE ME LANCE DANS LE VIDE,
LES IMAGES SE CONFONDENT,
ET LA CHUTE EST MOINS RAPIDE.
LE VENT FAIT GONFLER MES VÊTEMENTS.

J'IMAGINE TANTÔT L'ATTROUPEMENT.
MES BRAS, MES JAMBES, EN ÉTOILE
SUR UN TROTTOIR DE MONTRÉAL.

EN ATTENDANT JE VOLE.
EN ATTENDANT JE VOLE!

JE VOLE. JE VOLE. JE VOLE. JE VOLE...

UNE SOIRÉE DU MOIS D'AOÛT DANS UN CHALET,
LA NUIT, LE TEMPS ÉTAIT DOUX ON BUVAIT.
MARCHER SUR LA PLAGE COMME UN EXTRA-TERRESTRE
QUI VOIT UN TABLEAU DANS CHAQUE PAYSAGE.
RAMASSER UN COQUILLAGE LUI FAIRE UNE CARESSE.
LE SOLEIL EN HAUT MONTE AU DERNIER ÉTAGE.
S'ÉMERVEILLER DEVANT L'HUMANITÉ D'UN ROCHER.
VOULOIR TOUT REGARDER, VOULOIR TOUT TOUCHER.
LA NUIT, LE TEMPS ÉTAIT DOUX ON BUVAIT,
UNE SOIRÉE DU MOIS D'AOÛT DANS UN CHALET.
MARCHER, SUR LA PLAGE, SANS AVOIR UN SEUL BUT
SEULEMENT LAISSER DES TRACES D'ORTEILS DANS LA BOUE.
ÊTRE ENTIÈREMENT SATISFAITE DE LA JOURNÉE GASPILLÉE
À FAIRE DES PHRASES INCOMPLÈTES AVEC DES FORMES DE PIEDS.
J'AI MARCHÉ, J'AI MARCHÉ, J'AI MARCHÉ SUR LA TERRE;
PEUT-ÊTRE LA SEULE FOIS QUE J'AI MARCHÉ SUR LA TERRE
DE MA VIE ENTIÈRE.

MA VIE ENTIÈRE.
À PARTIR D'AUJOURD'HUI,
MA VIE EST ENTIÈRE.
MA VIE EST ENTIÈRE.

C'EST PAS LA FIN DU MONDE.
JE ME SUIS LAISSÉE TOMBER.
UN MILLIARD DE SECONDES,
ET ON M'AURA OUBLIÉE.
LE VENT FAIT GONFLER MES VÊTEMENTS,
JE FERME LES YEUX ET J'ENTENDS
LE CRI D'UN GOÉLAND AVALÉ
DANS LE BRUISSEMENT DE LA MER DÉCHAÎNÉE.

LA NUIT, LE TEMPS ÉTAIT DOUX ON BUVAIT,
UNE SOIRÉE DU MOIS D'AOÛT DANS UN CHALET.
MARCHER SE PERDRE SANS AVOIR UN SEUL BUT
SEULEMENT LAISSER DES TRACES D'ORTEILS DANS LA BOUE.

*Les mots en majuscule sont chantés aussi par le
chœur des sondeurs.*

JE ME SOUVIENS
D'UN OISEAU.
UNE JOURNÉE PARFAITE.
SEPT CHANDELLES.
SUR UN GÂTEAU.
C'ÉTAIT MA FÊTE.
LA JOURNÉE ÉTAIT BELLE.
LA JOURNÉE ÉTAIT BELLE.

JE ME SOUVIENS D'UN OISEAU.
UN GÂTEAU, DES CADEAUX.
DES AMIS, DES AMIES.
MA MÈRE ET DES AMIS.
TENANT LE GÂTEAU.
DES AMIS QUI CHANTENT.
DES FLEURS BLEUES,

194

DES FLEURS VERTES,
DES FLEURS JAUNES.
EN CRÉMAGE SUCRÉ.

JE ME SOUVIENS D'UN OISEAU.
DES FLEURS BLANCHES,
DES FLEURS MAUVES,
DES FLEURS ROSES.
UNE VRAIE DROGUE,
LE CRÉMAGE SUCRÉ
EN FLEUR DE GÂTEAU.

JE ME SOUVIENS D'UN OISEAU.
BLESSÉ, L'OISEAU.
CASSÉ SON COU, L'OISEAU.
DANS LA FENÊTRE, L'OISEAU.
CONTRE LA FENÊTRE, L'OISEAU.
AU DESSUS DU GÂTEAU, L'OISEAU.

MA VIE ENTIÈRE.
À PARTIR D'AUJOURD'HUI,
MA VIE EST ENTIÈRE.
MA VIE EST ENTIÈRE.

UNE SOIRÉE DU MOIS D'AOÛT DANS UN CHALET,
LA NUIT LE TEMPS ÉTAIT DOUX ON BUVAIT.
PAS D'OISEAU BLESSÉ DANS LE CARREAU.

> *Boss tombe par terre. La lumière revient d'un coup, éblouissante. Le chœur des sondeurs chante.*

Je sais pas... code 99

JE SAIS PAS SI QUAND ON MEURT ON PERD GRADUELLEMENT SES SENS.

OU BIEN SI ON LES PERD TOUS EN MÊME TEMPS.

PEUT-ÊTRE QUE LA PREMIÈRE CHOSE QU'ON PERD

C'EST LE TOUCHER.

ON A L'IMPRESSION DE FLOTTER DANS LE VIDE.

APRÈS, PEUT-ÊTRE QU'ON PERD LE GOÛT.

QU'ON SENT PUS LES ODEURS.

ME SEMBLE QUE, JE SAIS PAS,

MAIS DANS MA TÊTE À MOI,

UNE DES DERNIÈRES CHOSES DONT ON DOIT AVOIR CONSCIENCE AVANT DE MOURIR,

C'EST LA LUMIÈRE.

ON DOIT VOIR LA LUMIÈRE S'ÉTEINDRE.

APRÈS ÇA,

ON DOIT ENTENDRE DES SONS.

DES RESTANTS DE PHRASES.

DES VOIX,

DES MOTS QUI RÉSONNENT DANS LA TÊTE.

LUNE, *elle chante*

ÇA DOIT ÊTRE COMME ÇA QUE ÇA FINIT.

Noir.

Montréal-Limoges-Montréal
avril 1998 - septembre 1999